PARACELSUS

VOM LICHT DER NATUR
UND DES GEISTES

EINE AUSWAHL

IN VERBINDUNG MIT KARL-HEINZ WEIMANN
MIT EINER EINFÜHRUNG
HERAUSGEGEBEN VON KURT GOLDAMMER

PHILIPP RECLAM JUN. STUTTGART

Universal-Bibliothek Nr. 8448 [3]
Alle Rechte vorbehalten. © 1960 Philipp Reclam jun., Stuttgart
Gesamtherstellung: Reclam, Ditzingen. Printed in Germany 1984
ISBN 3-15 008448-2

EINFÜHRUNG

Leben und Persönlichkeit des Paracelsus

Der Lebensweg

Daß der Genius in der Stille sich entfaltet, kann man an der Jugendzeit und Frühentwicklung des Paracelsus studieren, die uns in zwei Alpentäler von geprägter Eigenart führt. Es ist einmal der Talkessel von Einsiedeln in der Schweiz, beherrscht vom religiösen Leben eines alten Wallfahrtsortes, der immer wieder die Ströme der Pilger in sich hereinzog und damit etwas vom Leben der großen Welt zu spüren bekam. Hier wurde 1493 oder 1494 — das genaue Datum ist unbekannt — einem schwäbischen Arzt aus der bei Stuttgart beheimateten Familie der Bombaste von Hohenheim und einer Untertanin des Stiftes ein Sohn geboren, der den ungewöhnlichen Taufnamen Theophrast erhielt. In der Namengebung spiegeln sich wohl wissenschaftliche Interessen seines Vaters. Denn er scheint an den botanisch tätigen Aristoteles-Schüler Theophrastos von Eresos (372—287 v.Chr.) zu erinnern. Die Herkunft anderer Vornamen, die später in Verbindung mit seinem Namen verwendet wurden (Philippus; Aureolus), ist ungewiß. Der heute allgemein gebräuchliche Name Paracelsus ist eine gelehrte Latinisierung von unsicherer Bedeutung, die Hohenheim sich wahrscheinlich erst mit oder nach seiner akademischen Lehrtätigkeit in Basel zugelegt hat und die in den gleichen gedanklichen Zusammenhang gehört wie die damals von ihm verwendeten Buchtitel (*Paramirum*; *Paragranum*) und wie das wunderliche literarische Unikum seines Gesinnungsverwandten Sebastian Franck, die *Paradoxa*.

Der Vater Wilhelm von Hohenheim ist möglicherweise der illegitime Sproß eines Johanniterritters gewesen, woraus sich das lebenslängliche seltsame Schwanken des Sohnes zwischen hochfahrendem Adelsstolz und Standesbewußtsein einerseits und scharfer Kritik am Adel und an der herkömmlichen ständischen Ordnung andererseits erklären mag. Er ist vielleicht innerlich mit dem Problem der sozialen Deklassierung nie ganz fertig geworden. Die Mutter entschwindet merkwürdig schnell der Erinnerung des späteren Arztes, während er seines Vaters mehrfach gedenkt, woraus man mit Recht den Schluß gezogen hat, daß sie in seiner frühen Kindheit verstorben ist und wohl schon tot war, als der Vater nach Villach zog, um dort als Stadtarzt zu fungieren. Im alten Industriegebiet des Drautales und seiner Nebentäler, am Fuße der Karawanken und an den Übergängen nach Slowenien, Friaul und Venetien ist Paracelsus dann seit etwa seinem achten oder neunten Lebensjahre aufgewachsen, mitten in einem ausgesprochenen Durchgangsland, in dem sich nicht nur die Straßen kreuzten, sondern auch Völker und Sprachen begegneten.

Eine frühzeitig beginnende (er betont, daß er „von Kindheit auf" sich mit Naturforschung befaßt habe!) Ausbildungszeit hat ihn dann aus der väterlichen Obhut und Lehre an Klosterschulen und Bischofssitze Kärntens, der Steiermark und Bayerns geführt, an denen geistig regsame und mit den Reformbestrebungen der Zeit verbundene Kirchenfürsten wirkten. Neben seinem Vater nennt er in dankbarer Erinnerung eine ganze Reihe von Männern, darunter Bischöfe und Äbte, als seine Lehrer. Dann nahm er sein Studium an mehreren Universitäten auf, die wir nicht genauer kennen, unter denen aber wohl Bologna und Ferrara eine besondere Rolle spielten. In Ferrara dürfte er den medizinischen Doktorhut erworben haben; jedenfalls spricht er selbst davon. Das muß noch im zweiten Jahrzehnt des 16. Jahrhunderts gewesen sein, zur gleichen Zeit etwa, da sich in Luther entscheidende religiöse Entwicklungen vollzogen, die zum Thesenanschlag von 1517 führten. Anschlie-

ßend beginnt eine Periode großer europäischer Wanderu.
gen für Hohenheim, die ihn so recht als ein Kind seiner auf-
geschlossenen und unruhigen, auf Erfahrung und persön-
liches Kennenlernen bedachten Zeit, als einen Forschungs-
und Entdeckungsreisenden im kleinen erscheinen lassen. Der
junge Doktor scheint dabei gern einen naheliegenden Weg
gewählt zu haben: er hat sich als Militärarzt betätigt und
ist mit verschiedenen Heeren zu den damals nicht seltenen
lokalen oder regionalen kriegerischen Aktionen ausgezogen,
wobei ihn zweifellos nicht politische Parteinahme geleitet,
sondern einfach die Möglichkeit des Umherziehens und des
Sammelns von Erfahrungen gereizt hat.

Genau sind uns seine Reisewege, die von seiner Promo-
tion bis in die Mitte der zwanziger Jahre dauerten, nicht
bekannt. Er spricht von „venedischen, dänemärkischen und
niederländischen Kriegen", an denen er teilgenommen hat.
Für die Beteiligung am niederländischen Krieg ist das Jahr
1519, für den dänischen Krieg mit der Belagerung Stock-
holms das Jahr 1520 in Betracht zu ziehen. Um diese festen
Daten legen sich Aufenthalte in Westeuropa (bis nach
Spanien und Portugal; im Nordwesten England) und im
Osten (er nennt Preußen, Litauen, Polen, Ungarn, Sieben-
bürgen, die Walachei, Dalmatien, Kroatien), deren exakte
Koordinierung nicht möglich ist. In Italien hat er längere
Zeit geweilt. Auch nach Rhodos muß er — entweder um
1517 oder um 1521 — gekommen sein. Es war eine außer-
ordentlich inhaltsreiche Zeit, in der er fast alle Teile Europas
berührte. Die Ereignisse drängten sich in einer ziemlich kurzen Spanne zusammen. Vielleicht war er auch in diesen
Jahren bei Siegmund Füger in Schwaz (Tirol) tätig und hat
von ihm und seinen Mitarbeitern in Alchimie und Hütten-
kunde dazugelernt. Daß er seine Augen nach allen Seiten
hin offen hielt und von allen Problemen seiner Umwelt aufs
tiefste berührt wurde, zeigen seine späteren Schriften, in
denen eine erstaunliche Verarbeitung von Zeitfragen und
Eindrücken erkenntlich wird, die weit über seine engeren
beruflichen und wissenschaftlichen Interessen hinausgehen.

Es könnte sein, daß er bereits in diesen frühen Jahren zum Schreiben gekommen ist und erste Werke oder Entwürfe dazu abgefaßt hat.

Von den Balkanländern her mag er um 1524 über die zweite Vaterstadt Villach nach Salzburg gelangt sein, wo er einen Niederlassungsversuch unternahm. Jedenfalls deutet das überlieferte Datum einer Schrift über die Jungfrau Maria auf seinen Aufenthalt in dieser Stadt bereits im Sommer 1524. Hier hat ihm aber wohl seine Neigung zum einfachen Volk geschadet, die ihn während der Wanderjahre in so viele Berührungen mit schlichten Menschen der unteren und untersten Stände gebracht hatte. Denn er ist offensichtlich irgendwie — den Hergang kennen wir nicht genau — in die Bauern- und Bergknappenunruhen dieser Jahre verwickelt worden. Sein Interesse für das Religiöse und für offene Kritik an bestehenden Zuständen mag ihm dabei zum Verhängnis geworden sein. Bei dieser Gelegenheit erfahren wir auch, daß ihm ein ererbter Sprachfehler hinderlich war, daß sein rhetorisches Auftreten nicht sehr glanzvoll, und daß er auch sonst gehemmt war und seine Sache nicht sonderlich geschickt zu verteidigen wußte. Jedenfalls hat er schon 1525 unter Zurücklassung von nicht ganz unbeträchtlichen persönlichen Eigentumswerten Salzburg wieder verlassen. Wahrscheinlich Hals über Kopf — sonst hätte er nicht einen Teil seiner Habe preisgegeben. Oder wollte er etwa zurückkehren, wenn sich die Lage konsolidiert hatte? Die Heimkehr nach Salzburg, das er offensichtlich liebte und als erstrebenswerten Wohnsitz und Arbeitsplatz ansah, sollte ihm jedoch erst gegen Ende seines Lebens beschieden sein. Ein reichliches Jahr neuer Wanderungen führte ihn nun durch verschiedene Gegenden Bayerns und des Donaulaufes nach Straßburg, wo er Ende 1526 das Bürgerrecht erwarb. Diese Tatsache muß vom Charakter der freisinnigen Reichsstadt im Elsaß her beleuchtet werden, die in jenen Jahren Asyl für viele politisch und „weltanschaulich" Flüchtige und sonstige Außenseiter wurde. Paracelsus hat sich kaum zufällig dorthin gewandt, wo vor, mit und nach ihm eine ganze

Anzahl verwandter oder ähnlich kritischer Geister Zuflucht gesucht hatte und wo er mit Recht ein reiches und reges geistiges Leben vermuten durfte. Aber schon im März 1527 finden wir ihn in Basel.

In der alten Handels- und Kulturmetropole am Oberrhein begann erst eigentlich das, was man — mit seinen eigenen Worten — die Tragödie des Hohenheimschen Lebens nennen könnte. Er wurde nach Basel als Stadtarzt und Universitätsprofessor der Medizin berufen. Die reformgesinnten Männer der Stadt standen hinter diesem Unternehmen, deren einen, den Verleger und Humanistenfreund Froben, er damals gerade ärztlich beriet. Die Brüder Amerbach haben ihm nahegestanden, mit Erasmus von Rotterdam korrespondierte er, und der kirchliche Reformator Basels, Oecolampadius, hat anscheinend zu den seine Berufung betreibenden Kreisen gehört. Zweifellos hat dabei auch Religiöses eine Rolle gespielt: Man rechnete ihn der neuen Richtung zu, zumindest den erasmianisch denkenden Reformkreisen, und man versprach sich einiges von seinem akademischen Wirken. Seine Vorlesungstätigkeit nahm er erst im Juni 1527 mit einer etwas marktschreierisch wirkenden, aber doch sehr ernst zu nehmenden Ankündigung auf, die jedenfalls seinen Willen erkennen läßt, etwas ganz Neues zu bringen und die Medizin — ähnlich wie es Luther mit Theologie und Kirche eingeleitet hatte — vom Hochschulkatheder aus zu reformieren. Die öffentliche Proklamation seines Vorhabens könnte an den Anschlag von Luthers Thesen zehn Jahre zuvor erinnern. Starke Sätze stehen in dieser Einladung, die auch wieder ein charakteristisches Dokument für die Zeitstimmung und für den Appell an humanistisches wissenschaftliches Empfinden ist:

„Denn wer weiß nicht, daß die meisten Ärzte in dieser Zeit — sogar unter größtem Risiko für die Kranken — in schändlichster Weise gefehlt haben? Da sie allzu pedantisch an den Aussprüchen des Hippokrates, Galenus und Avicenna geklebt haben, als ob sie aus dem Dreifuß des Apollo wie Orakel geflossen wären, von denen man auch nicht um

Fingersbreite weichen dürfte! Denn durch diese Autoritäten entstehen wohl, wenn es den Göttern gefällt, strahlende Träger von Doktortiteln, nicht aber Ärzte! . . . Ich will, durch ein ausgiebiges Gehalt von der Basler Obrigkeit eingeladen, zwei Stunden täglich praktische und theoretische Medizin und Lehrbücher der Leibarznei und der Chirurgie, deren Verfasser ich selbst bin, mit höchstem Fleiß und großem Gewinn für die Hörer erklären, und zwar nicht Bücher, die, wie es andere tun, aus Hippokrates oder Galenus oder sonstwem erbettelt sind, sondern die ich aus der Erfahrung als höchster Lehrerin und aus eigener Arbeit verfaßt habe. Demgemäß helfen mir Erfahrung und Vernunft (,experimenta ac ratio') an Stelle von Autoritäten, wenn ich etwas beweisen werde. Deshalb, teuerste Leser, wenn jemanden die Mysterien dieser apollinischen Kunst erfreuen, wenn ihn Liebe und Verlangen treiben, und wenn er in nur kurzer Zeitspanne gründlich lernen will, was zu dieser Wissenschaft gehört, dann möge er sich alsbald zu uns nach Basel begeben, und er wird dort noch ganz anderes und weit größeres, als ich hier in Kürze beschreiben kann, erfahren."

Seine Absicht unterstrich er, wiederum in einer ausgesprochenen Analogiehandlung zum Wittenberger Reformator, mit einer Verbrennung eines scholastisch-medizinischen Lehrbuches im Basler Johannisfeuer auf dem Marktplatz am 24. Juni 1527.

Das war die Ankündigung eines großen Umbruchs, die ihm, ebenso wie andere Dinge, darunter die Verwendung der deutschen Sprache in den akademischen Vorlesungen, von seinen medizinischen Kollegen verübelt wurde. Die Anerkennung durch die altgläubige Fakultät wurde ihm, der von vornherein als ein Außenseiter erschienen war, versagt; er konnte sich als ein oktroyierter Hochschullehrer nur auf die staatliche Autorität stützen, die ihn berufen hatte und bezahlte, nicht aber auf das korporative Gefüge der mittelalterlichen Universität. Das hätte ihn wohl nicht gestört, wenn nicht äußerst heftige Angriffe sachlicher Art gegen ihn erfolgt wären, die erkennen lassen, daß es ihm, dem unerfahrenen Neuling auf dem Lehrstuhl, schwer wurde, sich den in eingefahrenen Geleisen laufenden Kollegen und Studenten verständlich zu machen. Seine inhaltlich bedeutenden Erkenntnisse trug er in so eigenwilliger Form und unter Benutzung einer neu gebildeten fachlichen Ausdrucksweise vor, daß er nicht nur anziehend auf ernsthafte Sucher und auf Neugierige, sondern auch abstoßend auf die scholastisch gelehrten Traditionsträger wirkte. Wir entnehmen das einem Schmähgedicht, das — sicherlich mit Billigung der Fakultät, wenn nicht sogar auf ihre geheime Anregung hin — an den Basler Kirchentüren angeschlagen wurde und das sich mit einem Mahnruf „aus dem Totenreich" laut Unterschrift an ihn wandte und gleichsam den verblichenen Geist der antiken Medizinautorität Galenus gegen ihn sprechen ließ, die er so heftig attackiert und verhöhnt hatte. Im Basler Staatsarchiv ist uns noch ein Exemplar dieser angehefteten Pamphlete erhalten, in dem es lebhaft hergeht. Ruft es dem kühnen Reformer doch da warnend aus der Unterwelt unter anderem zu:

Verrecken will ich, wenn du des Hippokrates Nachttopf
zu tragen
Würdig wärst oder zu hüten meine Schweine, du Nichtsnutz!
Was schmückst du Dohle dich denn mit Federn, die du
gestohlen?
Doch: dein winziger Ruhm, trügerisch, währt ja nur
kurz.
Was willst du lesen? Es fehlten die fremden Worte dem
dummen
Mundwerk, und schon setzte aus, was du als Werk dir
nur stahlst.
Was willst du tun, du Tor, durchschaut von außen und
innen,
Da man richtig dir riet, dich zu erhängen am Strick?[1]

1. Die Übersetzung dieses Auszuges — im Distichon-Maß des lateinischen Urtextes — stammt von meinem Lehrer an der Universität

Das war stark und wirkte. Es war mehr als ein kalter Guß nach dem vielversprechenden Anfang. Es war auch nicht ohne Wahrheitskörnchen. Ihm sollte anscheinend nicht nur wieder seine Sprachhemmung, sondern auch mangelnde Kenntnis der medizinischen Terminologie vorgeworfen werfen, was mit der angedeuteten Neubildung inhaltsreicher, aber schwer verständlicher Fachausdrücke zusammenhängen mag, wie er sie liebte (wobei er sich übrigens wohl auch von einem gewissen humanistischen Bestreben und einem Prunken mit der Kenntnis antiker Sprachen gerade in dieser Humanistenstadt leiten ließ). Der reformbegeisterte und im Höhenrausch erster Anerkennung und Erfolge einherziehende Doktor mußte erfahren, daß die Universität dem Genie immer nur dann Raum gewährt, wenn es sich in ein bestimmtes geprägtes Schema des persönlichen und wissenschaftlichen Verhaltens begibt, und daß es sonst seinen Platz anderswo suchen muß. Kommen aber noch Streitigkeiten mit gewichtigen Institutionen und Kollektivinteressen — wie bei Paracelsus in Basel mit den Apothekern — und Ungeschicklichkeiten formaler Art — hier in einem Rechtshandel um Honorarforderungen gegen einen Domherrn — und schließlich eine unglückliche persönliche Art hinzu, so läuft das Gefäß schnell über. Bereits Anfang 1528 war die Basler Tätigkeit Hohenheims beendet, der, nachdem seine Beschwerden an den Rat nichts gefruchtet hatten und nachdem er durch grobe Insulte der Obrigkeit Verwicklungen oder gar Inhaftierung befürchten mußte, fluchtartig die Stadt verließ.

Mit der scheinbar gewonnenen Ruhe des beruflichen und akademischen Lebens und Produzierens war es also schnell wieder aus. Man wird diese an sich kurze Episode im Leben Hohenheims, die ja nur etwa zehn Monate dauerte, nicht hoch genug veranschlagen können, vor allem nach der psychologischen Seite hin. Der so selbstbewußte und gern

Leipzig, Prof. D. Paul Fiebig, der sie vor Jahren einmal aus Freude am Gegenstand hergestellt und mir überlassen hat.

mit der ganzen Grobheit seines Zeitalters zufahrende junge Arzt besaß doch bei allem nüchternen wissenschaftlichen Erkenntnisdrang und Kampfeswillen auch die ganze Sensibilität des schöpferischen Menschen, des Dichters und Träumers, ja des „Romantikers", wie man fast sagen könnte, und war durchaus leicht schockierbar. Seine neue und im Grunde noch im zarten Entwicklungszustand befindliche wissenschaftliche Methode war überaus empfindlich, ja gebrechlich, denn sie war noch keineswegs abgeklärt und exakt gesichert. Die alte Schulwissenschaft konnte sie deshalb höhnisch zurückweisen. Hier wurde eine tiefe seelische Wunde aufgerissen, die nicht mehr völlig vernarben sollte. Wissenschaft und Gesellschaft hatten vor ihm die Türen zugeworfen. Das Odium des Skandals umwitterte die ganze Basler Angelegenheit, die sich immerhin vor aller Öffentlichkeit auf der Ebene höchster akademischer Ansprüche und Auseinandersetzungen zugetragen hatte. Er hatte das Spiel verloren, und er war kein guter Verlierer. Wie so oft, behielt der Durchschnitt des wissenschaftlichen Alltagsmenschentums das letzte Wort, das zwar die Zukunft nicht mehr interessieren würde, das aber der Umwelt in die Ohren gellte. Und Hohenheim fand nicht mehr in geordnete Bahnen zurück. Irgendwie war er in seiner Entwicklung von nun an gestört, wenn auch sein Lebensmut und sein oft temperamentvoller Lebensstil, der es gern mit dem Wein und mit „guten Gesellen" hielt, keineswegs gebrochen waren. Nach einem Aufenthalt im Elsaß, während dessen zwei Werke über Wundschäden und syphilitische Erkrankungen entstanden, zog er über Schwaben nach Nürnberg, wo der seltsame Zeitkritiker Sebastian Franck aus Donauwörth ihn 1529 kennenlernte. Dann hat es ihn aber dort, wo er mit der Publizierung und Abfassung von Syphilisschriften beschäftigt war, nicht gehalten. Es gab wieder Reibereien mit den niedergelassenen Ärzten und Apothekern, und als er bereits Nürnberg verlassen hatte, erreichte ihn die Nachricht von einem vom Rat der Stadt auf Veranlassung der Leipziger Medizinischen Fakultät verhängten Druckverbot über seine Schriften. Dabei verweist er in seinem Einspruch die Stadt auf ihre reformationsfreundliche Gesinnung, also wohl auf eine innere Beziehung zu ihm selbst, der er die altgläubige Leipziger Universität gegenüberstellen will. Paracelsus befand sich damals in Beratzhausen an der Laber und war bereits zur theologischen Schriftstellerei übergegangen. Denn hier ist zumindest ein beträchtlicher Teil seines umfangreichsten erhaltenen Werkes entstanden, der *Auslegung des Psalters Davids*. Daneben wurde andererseits die Aufzeichnung der großen und grundlegenden medizinischen Reformschriften fortgesetzt oder begonnen, die den „Para"-Titel als Auszeichnung tragen: des *Paragranum*, des Buches von den „vier Säulen" der Heilkunst, und des *Opus Paramirum*, des Buches von den Krankheitsursachen und besonderen Krankheiten. Das letztere ist eine Zusammenstellung mehrerer innerlich verzahnter Einzeluntersuchungen. Theoretisch ist es von höchster Bedeutung, etwa durch die Ausführungen über die grundlegenden „drei Substanzen" Sal, Sulphur und Mercurius, durch die daran anschließende Elementar-Theorie sowie durch Überlegungen zu den Stoffwechsel- und Frauenkrankheiten. Letztere enthalten eine ganze medizinisch-naturphilosophische Theorie über die Frau, ja über die Stellung des Menschen im Kosmos.

Dieses Schrifttum reicht vielfach hinüber ins Theologisch-Metaphysische und in die weltbildliche und weltanschauliche Spekulation. Es steckt voller poetischer Reize. In diesen Zusammenhang gehören auch seine Ausführungen über die *Unsichtbaren Krankheiten*, die für die Frühgeschichte der Psychiatrie und Psychopathologie höchst interessant sind: Er untersucht auch Krankheitszusammenhänge außerhalb des rein Organischen, ohne dabei die Beziehungen zum Leiblichen zu übersehen. Das ganze Schriftwerk ist durchsetzt mit religionsphilosophischen Überlegungen. Sein Abschluß erstreckt sich bis nach St. Gallen, wohin Paracelsus nach einigen Wanderungen in Süddeutschland um 1531 gelangte. Vielleicht erhoffte er sich von dem ihm vermutlich schon aus Villach bekannten Bürgermeister und Reformator der Stadt Joachim von Watt (Vadianus), der gleichzeitig Stadtarzt war, Asyl und Hilfe. Schriftstellerei und ärztliche Tätigkeit wurden hier wieder aufgenommen. Aber zu einer Bleibe kam es nicht. Wahrscheinlich schon 1532 begannen neue Wanderungen, die ihn nun diesmal ostwärts in die Alpen führten. Wenige Anhaltspunkte besitzen wir für diese Zeit. Wir wissen aber, daß die Fahrten durch die Alpentäler angefüllt waren mit der Beschäftigung mit theologischen Fragen, mit theologischer Schriftenproduktion. Er war sich nicht nur äußerer, sondern auch tiefer innerer Not bewußt. Möglicherweise hat er damals aufgeschlossene und bewegte Menschen gefunden, die auf ihn hörten, die für ihn eine Gemeinde und für die er eine Autorität wurde. Er muß sich vorübergehend als eine Art von Prediger oder Apostel gefühlt haben. Er war auf der Suche nach der wahren Kirche Christi. Als er aus dem Appenzellischen weiter nach Osten zog und in das Industriegebiet des Inntales kam, stieß er nicht nur auf religiöse und soziale Fragen dieses damals aufgewühlten Landes, in dem neben der Reformation die Täufer Fuß gefaßt hatten und starken Zuzug hartnäckiger Anhänger trotz allen Verfolgungen bekamen, sondern auch auf Probleme der Sozialhygiene und der Berufskrankheiten, über die er sich in einer bedeutenden Schrift über die *Bergkrankheiten,* das heißt also Berufserkrankungen im Bergbau, geäußert hat. Er war nun plötzlich wieder in seinem ärztlichen Element. Ein Aufenthalt in Innsbruck brachte ihm eine Abfuhr durch die Stadt, der er sich nicht so repräsentabel zeigen konnte, wie man es damals von einem Doktor der Medizin erwartete. 1534 ist er in Sterzing in Tirol gewesen, hat sich dort als Pestarzt betätigt, aber auch Ablehnung gefunden, besonders seitens der Geistlichen. Besser scheint es ihm in Meran ergangen zu sein. 1535 ist er über St. Moritz nach Pfäffers (Ragaz) gekommen, wo ihn der Abt Russinger konsultierte. Dann ging es über das Allgäu nach Ulm und Augsburg. 1536 war in Augsburg der Druck seiner *Großen Wundarznei* abgeschlossen — eines der wenigen größeren Werke, die er zu seinen Leb-

zeiten publizieren konnte. Obwohl er hier in dem Stadt-
arzte Dr. Thalhauser (der übrigens der reformatorischen
Sondergruppe der Schwenckfelder nahestand) einen guten
Freund besaß, ist er nicht geblieben.

Noch 1536 zog er nach München, von da 1537 nach Efer-
ding in Oberösterreich und schließlich nach Mährisch-
Kromau, wohin er von dem böhmischen Marschall Johann
von Leipnik gerufen wurde. Dieser Träger eines hohen böhmischen Kronamtes, der Paracelsus zunächst um ärztlichen
Rat ersuchte, war zugleich ein Schirmherr verfolgter prote-
stantischer Sektierer, die in seinem Gebiet Zuflucht fanden.
So mögen sich die beiden Männer nicht nur als Arzt und
Patient, sondern auch als Vertreter religiöser Duldungs-
gedanken und des Minoritätenschutzes getroffen haben.
Jedenfalls lag das bei der Paracelsischen Einstellung zu die-
sen Fragen nahe. Er hat hier auch wieder an theologischen
Problemen schriftstellerisch gearbeitet und damit zu einem
Fragenkreis zurückgefunden, der ihn nie ganz verlassen hat.
Das ein Torso gebliebene systematisch-spekulative Groß-
werk der *Ganzen Philosophia Sagax der großen und kleinen
Welt* oder *Astronomia Magna*, durchwoben von vielen reli-
giösen und metaphysischen Gedanken, ist hier in weiten
Partien niedergeschrieben worden. Ebenso hat er wohl an
Teilen der später als *Kärntner Schriften* zusammengefaßten
Werke gearbeitet. Von Mähren ging er nach Wien. Die Über-
lieferung berichtet von Audienzen bei König Ferdinand.
Aber schon im Mai 1538 treffen wir ihn in seiner Vaterstadt
Villach, wo er sich den Aufenthalt seines Vaters und seine
Erbschaftsansprüche beurkunden ließ. In Kärnten wollte er
anscheinend wiederum Niederlassungspläne verwirklichen
und mit einer Widmung dreier wichtiger Schriften (der *De-
fensiones septem*, des *Labyrinthus medicorum errantium* und
des *Buches von den tartarischen Krankheiten*, denen er die
Kärntner Chronik als Huldigung an das Land seiner Jugend voranstellte) an die Kärntner Stände einleiten. Das
geschah am 24. August 1538 zu St. Veit an der Glan. Die
Widmung wurde angenommen, das damals gegebene Druck-

14

versprechen vom Lande Kärnten allerdings erst 1955 einge-
löst, als sich eine Kärntner Landesregierung der von ihren
Vorgängern eingegangenen Verpflichtungen erinnerte[2].

Er hat sich in Kärnten bis ins Jahr 1540 aufgehalten.
Zweifellos hat er praktiziert und geschriftstellert, und der
Aufenthalt, verbunden mit dem Erinnern an glückliche Tage
der Jugend und an den väterlichen Lehrer, wird in ihm
manches haben reifen lassen. Unter seinen damals entstan-
denen Werken hat sich wieder Theologisches und Natur-
philosophisches befunden. Er hat wohl auf die Einlösung
des Druckversprechens durch die Landstände gewartet, vor
allem aber sich nach Niederlassungsmöglichkeiten umgesehen.
Beides erfüllte sich nicht. Es ging ihm gesundheitlich nicht
gut, und er erwog eine Umsiedlung. Offenbar verhandelte
er bereits mit Salzburg. Dorthin ist er noch 1540 abgereist.
Lange Zeit war ihm aber nicht mehr beschieden. Er hat frei
praktiziert und auch an Büchern geschrieben. Es ist möglich,
daß die These Sudhoffs zutrifft, der damalige Bistumsver-
weser Herzog Ernst von Bayern habe ihn an seinen Hof
ziehen wollen. Zum Hause Bayern bestanden allerlei Beziehungen, die noch bei der Überlieferung des Paracelsischen
Schrifttums eine Rolle spielen sollten. Zu einer ausgebreite-
ten Tätigkeit und amtlichen Betrauung Hohenheims ist es
aber nicht mehr gekommen. Wir wissen, daß er am 21. Sep-
tember 1541 in einem Hause der Salzburger Kaigasse sein
Testament machte, das ein interessantes soziales und kultur-
geschichtliches Dokument ist. Bedenkt er doch, der selbst
keine irdischen Reichtümer besaß, an erster Stelle die Armen.
Er blieb damit den sozialen Theorien treu, die er entwickelt
hatte. Sein geringer Hausrat geht aus diesem Testament hervor — die spärliche Fahrnis eines Fahrenden. Theologische
Bücher und Manuskripte befanden sich interessanterweise
darunter. Kurz nach dieser letztwilligen Verfügung ist er
gestorben. Er, der so oft heftige Kritik an der institutionel-

2. Zu diesem literarhistorischen Unikum vgl. Paracelsus, Die Kärntner Schriften. Ausgabe des Landes Kärnten, besorgt von Kurt Goldammer usw. Klagenfurt 1955. (Vgl. Literaturverzeichnis!)

len Kirche und an der römischen Hierarchie geübt hatte, wurde als katholischer Christ beigesetzt. Auf seinem Grabdenkmal, das heute in der Vorhalle der St. Sebastianskirche in Salzburg steht, wohin es vom Friedhof übertragen wurde, sind die denkwürdigen Schlußworte dieses rastlosen Daseins zu lesen: Pax vivis — requies aeterna sepultis. Sie sind gleichsam das mahnende Vermächtnis eines Mannes an eine friedlose Umwelt, der in seinem kurzen Leben — kein halbes Jahrhundert war ihm beschieden! — selbst nie den Frieden gefunden hatte, weder außen noch innen.

DIE LEBENSLEISTUNG

Was birgt dieses unstete Leben ohne dauerhafte Fixpunkte in sich? Es ist auch heute noch schon rein äußerlich für die Geschichtsforschung in manches Dunkel gehüllt, und das eben Berichtete ist fast alles, was wir daraus an Tatsachen wissen. Neben wenigen erhaltenen Aktenstücken und örtlichen Traditionen sind es nur einige spärliche Bemerkungen in seinen eigenen Schriften, aus denen wir die Paracelsische Biographie rekonstruieren können. Alles andere ist Ausmalung, Ergänzung, die allerdings die biographische Legende in diesem Falle schon ziemlich bald reich entfaltet hat. Desto deutlicher aber sind die Leistungen und Resultate dieses Lebens. Das heißt, seine geschichtliche Wirkung läßt spüren, daß hier einer nicht nur für seine Gegenwart gewirkt hat, sondern daß er seine Zeit und seine eigene Lebensspanne überragt.

Bekannt ist, daß dieser Mann vielen als ein Großer der Geschichte gilt. Ebenso bekannt ist allerdings, daß er schon zu seinen Lebzeiten und erst recht danach ein Umstrittener war, an dessen Fersen sich böse Nachrede und überschwengliche Verehrung, Anhängergruppen und Scharen von haßerfüllten Gegnern hefteten. Bereits wenige Jahrzehnte nach seinem Tode sah in ihm der Heidelberger Mediziner-Theologe Erastus einen Verderber von Wissenschaft und Religion. Ebenso wie die gegnerischen Mediziner nahmen ihn bald die orthodoxen Theologen aufs Korn, als bekannt wurde, daß in gewissen sektiererischen und außenseiterischen Kreisen seine Schriften autoritativen Charakter und einige Nachwirkung besaßen. Seit der Zeit der Romantik etwa ist seine positive Wiederentdeckung im Gange, die allerdings auch zu recht unterschiedlichen Deutungen geführt hat, bis schließlich die kritische Wiederveröffentlichung und Untersuchung seiner Schriften durch Karl Sudhoff und die Interpretation durch Mediziner und Naturwissenschaftshistoriker, Philosophen, Germanisten und Theologen in der neueren und neuesten Zeit sein Bild wissenschaftlich einigermaßen gefestigt hat. Klar ist indes auch heute noch nicht alles.

Grundlegendes — neue Methode

Die äußersten Extreme entgegengesetzter Ansichten über Paracelsus werden etwa durch die Stichworte „Magie" oder „Geheimwissenschaft" einerseits, „Grundlagen einer streng wissenschaftlichen Heilkunde" und „Erfahrungswissenschaft" andererseits bezeichnet. Den ersten Teil der Behauptungen kann man getrost beiseite schieben. Ein umfangreiches untergeschobenes magisch-alchimistisches und astrologisch-prophetisches Schrifttum unter dem Namen des Paracelsus sowie viele schwer verständliche und unverstandene Partien in seinen echten Schriften haben ihm diesen Ruf des Zauberers, Wahrsagers, Okkultisten und magischen Heilkünstlers verschafft. Wahr ist, daß er an diesen Dingen, die sich natürlich damals mit Naturforschung und Medizin eng berührten, nicht anders und mehr teilgenommen hat als jeder seiner Zeitgenossen, daß er sie in gewissem Umfange in seine Argumentation einbezog und daß er sich mit ihnen vom Standpunkte seiner Erkenntnis und des Wissens seiner Zeit aus ernsthaft auseinandersetzte, wobei man sich immer nur über seinen zugleich kritischen und konstruktiven Scharfblick

17

wundern kann. Ebenso wahr ist, daß er als Zeitgenosse der Humanisten und Renaissancephilosophen in diesen Fragen bereits eine viel nüchternere und rationalere Haltung entwickelt als der sogenannte „mittelalterliche Mensch". Magisches, Astrologisches und Mantisches haben damals allerdings noch weithin als eine Art von Wissenschaft und als ein unentbehrliches Zubehör zur Heilkunde gegolten, erst recht die Alchimie. Die Verbindung mit allen übrigen Zweigen des Lebens war ebenfalls gegeben. Paracelsus hat besser und mehr als viele andere sich um das wesentliche Wollen, um die echten Kernfragen dieser Disziplinen mit ihren unscharfen Grenzen bemüht. Er wollte sie möglichst in den Dienst der Medizin stellen, auch die sogenannte „Gabalia" (Kabbala).

Weit wichtiger ist die Frage nach den Grundlagen der Wissenschaft und nach dem Erfahrungsprinzip, die er ernsthaft und eindringlich stellte. In seiner Basler Vorlesungsankündigung propagierte er „experientia ac ratio" („Erfahrung und Vernunft bzw. Verstandeserkenntnis') als die Grundlage seiner Methode. Das war so recht ein Schlachtruf für seine Zeit. Er war nicht ganz neu. Auch in der italienischen Renaissance klangen derartige Forderungen auf, und von dorther waren sie Hohenheim wohl auch vertraut. Der Ton liegt zweifellos auf dem ersten Wort, auf der „Erfahrenheit", wie sie Paracelsus in seinen deutschen Schriften oft zitiert. Sie ist nicht identisch mit platter Alltagserfahrung, sondern hinter ihr steckt ein ganzes System von Erkenntnisbeziehungen aus einem neuen Verhältnis zur Umwelt, zum Gegenüber. Die einzelnen Gegenstände der „Erfahrenheit" wollen miteinander verbunden und mit der Vernunft durchleuchtet werden, die das „natürliche Licht" im Menschen ist, aber auch nun wieder nicht im Sinne simpler Alltagsverständigkeit, sondern als eine Gabe des Heiligen Geistes, die letztlich im Göttlichen ihren Ursprung hat. Wohl ist „Empirie" die Haltung der Erkenntnis, die aber nur dann funktioniert, wenn der Erkennende aus Gott, von Gott begabt ist. Paracelsus verwendet dafür gern den Begriff des „donum", der spezifischen beruflichen und wissenschaftlichen

Gnadengabe oder Begabung. Die Betätigung dieser Gesamtheit der Erkenntnisfunktionen — so würde man sie am besten bezeichnen — soll den Menschen an die Wirklichkeit der Welt heranführen. Der „Erfahrene" ist der, der diese Wirklichkeit in allen ihren Perspektiven kennt. Damit wendet sich Hohenheim vor allem gegen die scholastische Methode der Hohen Schulen, gegen die er einen unermüdlichen Kampf geführt hat. Denn hier sah er das Ersticken der „Erfahrenheit" durch den Formalismus der traditionellen schematischen Methoden. Deshalb scheute er sich auch nicht, von allerlei zweifelhaften Vertretern der „Medizin" wie Zigeunern, Scharfrichtern, Kräuterweibern usw. zu lernen. Das ist keine „Erfahrungsheilkunde" in dem vereinfachenden Sinne eines bloßen Sammelns von Erfolgsrezepten oder von zufällig glücklich verlaufenen Kuren, sondern bei ihm tritt stets die Forderung des Nachprüfens und des Durchdenkens hinzu, der „theorica", also eines echten wissenschaftlichen Prinzips. Das alles zusammen ergibt ihm dann in der Medizin „das sichtig [sichtbare] Wissen", von dem er insbesondere verlangt, daß es „ohn Mittel", das heißt, unmittelbar, zustande gekommen sei, daß es auf echter Anschauung beruhe: „Das wahr sei, so greif's, nicht lies im Buch!"

Dabei kann er behaupten, daß die Heilkunde ebenso wie die Philosophie eine „particula theologiae" sei, obwohl er andererseits gelegentlich religiös-theologisches und naturwissenschaftlich-medizinisches Denken und Forschen scharf scheidet. Und er kann vor einer falschen, kurzschlüssigen Zusammenstellung von Erfahrungstatsachen warnen: „Was sich der Erfahrenheit berühmt, berühmt sich sein eigen Irrsals und Gebresten." Er kennt sehr wohl die Unzulänglichkeit der bloßen Beobachtung und die Irrtumsfähigkeit der menschlichen Sinnesorgane. Ablehnung des scholastischen Denk- und Argumentierschemas bedeutet für ihn nicht Ablehnung der Spekulation. Im Gegenteil, er ist sehr spekulationsfreudig. Zur erfahrungswissenschaftlichen Analyse, zur Sammlung der Beobachtungen und zu der daraus gebildeten „Theorie" tritt bei ihm ein gewaltiger Komplex systema-

19

tisch-spekulativer Bemühungen. Auch darin ist er ein echtes Kind des 16. Jahrhunderts. Freilich ist sein System, wie wir es vor allem im Spätwerk der *Astronomia Magna* nach der naturphilosophisch-metaphysischen und religiösen Seite hin bemerken, unvollendet geblieben. Wäre ihm ein höheres Alter beschieden gewesen, so wäre er in dieser systematischen Arbeit sicher weiter gekommen, hätte er vor allem wohl ein durchdachtes Ganzes hinterlassen. So macht sein Werk den Eindruck des Aphoristischen und Fragmentarischen: Es sind großartige hingeworfene Essays. Man darf allerdings nicht vergessen, daß für Geister seiner Art der Torso charakteristisch werden kann, ja daß er geradezu zur bewußt verwendeten Stilform wird. Auch hier ist eine Berührung mit dem „Romantischen" zu verzeichnen.

Neue Heilkunde und neue Naturforschung

Seine methodischen Forderungen an die Medizin und überhaupt an die gesamte Wissenschaft sind vielleicht das Wichtigste in seiner ganzen Lebensleistung, ja in der europäischen Wissenschaftsgeschichte. Sie sind auch symptomatisch für den Geist oder für das tiefere Wollen der Zeit. Dazu gehörte übrigens die Einführung des Deutschen in die medizinische Fachsprache. Er ist gewiß auch hier nicht als allererster auf dem Plane gewesen. Die Ansätze dazu sind älter. Die Entstehung der nationalsprachlichen Literatur war in Italien längst im Gange, und in Deutschland zeigten sich besonders wichtige Ansätze dazu im Bereiche der Religion, vor allem in der Mystik und in der Erbauungsliteratur. Aber ein so bedeutendes und umfangreiches fachwissenschaftliches Schrifttum in deutscher Sprache besitzen wir erst seit Paracelsus, dem auf theologischem Gebiet vor allem Luther zur Seite tritt. Und er war auch offensichtlich der erste, der 1527 in Basel den Versuch machte, akademische Vorlesungen in deutscher Sprache zu halten. Die Aufhebung des Tabus über der Nationalsprache an der Universität hat erst fast zweihundert Jahre später Thomasius durchgeführt. Paracelsus hat fast alle seine Schriften, auch die theologischen, deutsch geschrieben, und nur noch die lateinischen Titel eines Teiles davon huldigen dem alten Herkommen.

Seine wissenschaftlichen Einzelleistungen sind nun nicht ganz leicht erfaßbar. Ihm ist auch da sehr viel zugeschrieben worden. Insbesondere hatten seine späteren Verehrer bis auf die Gegenwart das Bedürfnis, seinen Ruhm womöglich zu vergrößern. Er ist aber nicht der einzige, der damals Neues entdeckt und Altes reformiert hat. Entscheidend war und blieb das von ihm aufgestellte Prinzip der sachgerechten, der objekt- und personbezogenen Arbeit, die Feindschaft gegen papierene Theorien und gegen ein jedes sich aufblähende Buch- und Lernwissen. Damit war allerdings der Medizin ein neuer und von nun an unaufgebbarer Grundsatz auch in ihrer Einzelarbeit übermittelt. Eindeutig sind seine Verdienste auf dem Gebiete der Heilmittellehre. Hier haben seine Erfahrungen im Bergbau und Hüttenwesen, in der Metallurgie und Alchimie, die er seit seiner Jugendzeit in Villach und wahrscheinlich auf Anregung seines Vaters sammelte, zu einer weitgehenden Heranziehung chemischer Heilmittel geführt, also zu einer Art von Chemotherapie. Gründliche Überlegungen über den Stoffwechselvorgang und seine weiteren Zusammenhänge wiesen chemischen Substanzen einen Platz im körperlichen Geschehen an, der allerdings keineswegs andere Heilmittel, vor allem auch pflanzliche und tierische, ausschloß. Aber die chemischen Erkenntnisse haben eine Einschränkung der Theorie von der gesundheits- bzw. krankheitsbildenden Bedeutung der sogenannten vier „Kardinalsäfte" (Blut, Schleim, gelbe und schwarze Galle) und von ihrer therapeutischen Beeinflussung und damit der klassischen Temperamentenlehre zur Folge gehabt. Diese ganze pharmakologische Betrachtungsweise hat später zu der bedeutenden Schule der sogenannten „Iatrochemiker" geführt, die sich weithin auf ihn stützen konnte. Der in der damaligen Zeit geläufige und von Paracelsus theoretisch besonders beachtete und ausgebaute Zusammenhang zwischen Mensch, Erde und Gestirn einerseits, zwischen Gestirn und Metallen beziehungsweise chemischen Substanzen und Elementen andererseits hat zu diesen Theorien beigetragen, das heißt, kosmologische Vorstellungen im weiteren Sinne haben die medizinischen Lehren beeinflußt.

Der ganze Komplex ist mit vielen Überlegungen zur Physiologie und Pathologie des menschlichen Körpers verknüpft, die immer wieder auftauchen, wenn sie auch teilweise einen abstrakt-theoretischen, teilweise einen geradezu mythologischen Charakter haben. Bescheiden sind des Paracelsus Leistungen auf dem Gebiete der Morphologie und Anatomie, obwohl das Wort „Anatomie" bei ihm ziemlich oft vorkommt. Auch in der Geschichte der Wundarznei nimmt er — trotz seines großen Werkes und vieler Einzelschriften zu diesen Fragen — keine Schlüsselstellung ein. Hier ist er vielleicht durch seine unermüdlichen Mahnungen zu sauberer Diagnose und Therapie besonders beachtlich. Ganz bedeutend sind seine Beiträge zur Erkenntnis des Wesens der Frauenkrankheiten und psychischer Erkrankungen. Mit dem Wesen der Frau hat er sich viel beschäftigt. Er sieht in ihr einen Schnittpunkt zwischen Makrokosmos und Mikrokosmos, die „kleinste Welt", wie er gelegentlich sagen kann, durch die Gott in das Weltgeschehen immer wieder eingreift, weil er durch sie gleichsam den Schöpfungsprozeß fortsetzt. Ein anderes Gebiet, auf dem er sich unermüdlich forschend betätigte und dem er mehrere Schriften gewidmet hat, ist das der Stoffwechsel- und Steinkrankheiten, der „morbi ex tartaro" [= Weinstein, d. h. Ablagerungen]. Dieses Problem hat ihn bis in seine Spätzeit, bis zu der großen Tartarus-Abhandlung in den *Kärntner Schriften* von 1537/38, beschäftigt. Daß er auf die Frage der Syphilis, der „Franzosen", gestoßen ist, kann in dieser Zeit nicht verwundern, da die Krankheit zu einer Geißel Europas geworden war. Seine Polemik gegen die von den Fuggern, die als Importeure aus kommerziellen Gründen daran interessiert waren, geförderte Guajak-Kur zugunsten einer spezifischen Quecksilbertherapie zog ihm Anfeindungen zu. Daß er sich für Berufskrankheiten, Gewerbe- und Sozialhygiene interessierte, wurde schon erwähnt.

Prinzipielles zur neuen Heilkunde und zu ihrer verantwortlichen wissenschaftlichen Grundlegung aus der praktischen Erfahrung und aus dem System einer echten, mit Hilfe der „ratio" aufgebauten „Theorik" heraus, wie sie ihm vorschwebte, hat er nicht erst in seiner großen, 1538 den Kärntner Ständen gewidmeten Programm- und Anklageschrift *Labyrinthus medicorum errantium* ausgeführt, die gleichsam die Medizin vom Kopf wieder auf die Füße stellen will, sondern bereits in der berühmten Frühschrift *Volumen Paramirum*, dem sogenannten *Buch der fünf Entien*. Dieses Werk zeigt die Fundamente einer neuen Krankheitsätiologie und damit zugleich einer neuen Diagnostik auf. Die „entia" astrale, venenale, naturale, spirituale und deale (Kosmos, Umwelt, Veranlagung, geistige Störung oder Beeinflussung und Gottes Strafwille als Krankheitsursachen) sind die „fünf Fürsten", die über den Menschen Gewalt haben und denen der Arzt beikommen muß. Die praktische Verwirklichung dieser neuen Methode hat er zur gleichen Zeit in den *Elf Traktaten* von Ursprung, Ursachen, Zeichen und Kur einzelner Krankheiten niedergelegt, die in eigentümlicher Mischung von scholastischem Erbgut und neuer Methode Krankheitsbeschreibung, Krankheitsentstehung und Therapie bringen. Zusammengefaßt hat er solche schon früh gewonnenen Erkenntnisse in dem berühmten *Paragranum* von 1529/30, das eine Art von Ausbildungsprogramm für den Mediziner enthält. In Ergänzung zu den Prinzipien der fünf Entien formuliert er hier die Grundlagen der Medizin und ihrer Arbeitsweise in den „vier Säulen". Es sind einzelne Wissensgebiete und Erfahrungsbereiche, in denen der Arzt zu Hause sein soll: Philosophie, das heißt Naturphilosophie bzw. Naturkunde; Astronomie, die Kenntnis des Himmels mit seinen Kräften und Erscheinungen und mit seinen Reflexen im Menschen; Alchimie, die Kenntnis der chemischen Stoffe und Heilmittel; Virtus, die Redlichkeit des Arztes, das Verantwortungs- und Sendungsbewußtsein vor Gott und Menschen. Das war gleichzeitig auch die Grundlegung eines neuen Standesethos, ja überhaupt eines neuen Selbstverständnisses des Arztes und seiner Aufgabe. Dieses neue Erkennen der ärztlichen Funktion und Aufgabe unter verschiedenen Gesichtspunkten ist wohl überhaupt das Wichtigste, das Paracelsus seiner Wissenschaft neben dem Methodischen im engeren Sinne auf ihren weiteren Weg mitgeben konnte. Hinter seinen sonstigen medizinischen Erkenntnissen pathologischer, physiologischer, pharmakologischer, diagnostischer und therapeutischer Art stekken zahllose richtige Einsichten, die die medizingeschichtliche Forschung ziemlich übereinstimmend als wegweisend anerkannt hat. Im einzelnen haben sich diese Erkenntnisse natürlich im Laufe der Jahrhunderte gewandelt. Das heutige Gesicht der Medizin ist total verschieden von dem, das sie Paracelsus zeigte. Krankheiten, Heilmethoden und Heilmittel werden anders gesehen bzw. besser angewandt. Neue Methoden von zentraler Bedeutung sind mittlerweile entdeckt, die Tatsachenkenntnisse ungemein erweitert worden. Es sei nur beispielshalber an die Stichworte Asepsis und Mikrobiologie erinnert. Was geblieben ist, sind die Grundsätze des ärztlichen Handelns und des wissenschaftlichen Arbeitens, auf die Paracelsus seine Standesgenossen ein für allemal verpflichtet hat, mehr und gründlicher als das antike ärztliche Standesideal Hippokrates. Insofern leitet Hohenheim tatsächlich die moderne Heilkunde ein. Seine theoretische und prinzipielle Besinnung ist geblieben — paradoxerweise, wie man fast sagen möchte, da er selbst ja immer auf das Konkrete und Spezifische gerichtet war.

Die Idee der neuen „Philosophie", in der der Arzt erfahren sein muß, hat ihn zur Betrachtung der Natur im kleinen und im großen geführt. Die Struktur des großen Kosmos, seine Beziehung zur Erde und zum Menschen, das Wesen der Sterne und des meteorologischen Geschehens hat ihn ebenso interessiert wie die Beschaffenheit der Pflanzen-, Tier- und Mineralwelt, in der er überall etwas von Lebensgeist (spiritus vitae) und Gestaltprinzip (archaeus) wirksam

24

sah. Die Minerale lieferten ihm ja vornehmlich seine Heilmittel. Und der belebte Kosmos — manchmal denkt er sich ihn wie ein Haus, oft wie ein sphärisches Gebilde, in dessen „Zentrum" die Erde wie das Eidotter im Eiweiß schwebt! — enthält für ihn auch schwer erkennbare Zwischenwesen, jene Natur- oder Elementargeister, die das köstliche Büchlein *De nymphis* beschrieben hat, in das die zarte Undinen-Geschichte verwoben ist, die Fouqué und andere Romantiker und spätere Dichter und Komponisten aufgriffen und literarisch oder musikalisch gestalteten. Hier wie überall in seinem Werk kommt die tiefe Ehrfurcht vor der Natur und ihrem Leben zum Ausdruck. Er erweist sich ebenso als ihr kühler Beobachter, wie er ihre poetischen Reize sieht. Sie ist ihm zwar etwas Unvollendetes, aber sie steht unter dem Regiment Gottes und im Dienste des Menschen, dem gleichsam ihre Vollendung in der Verwirklichung ihrer Bestimmung anvertraut ist. Das ist ja auch das Wesen alchimistischen Denkens.

Das neue Menschenbild und die neue Religiosität

Daß dem scharf zublickenden Arzt sich nicht nur die Erscheinung des gesunden und kranken Menschen, sondern das Bild des Menschen überhaupt neu gezeigt hat, kann nicht Wunder nehmen. Wer so grundstürzend die Medizin angreift, deren Gegenstand der Mensch wenigstens in seinem leiblichen Leben ist, wird diesen Gegenstand näher betrachten müssen. Wissenschaftlich hat Paracelsus den Menschen als ein himmlisch-irdisches Kompositum gesehen, als „Mikrokosmos", wie er unter Verwendung eines bereits geläufigen Ausdruckes sagte. Für ihn leben *im* Menschen die Bestandteile der großen Welt — bis hin zu der Idee, daß auch die schicksalsmächtigen Planeten, zu den Hauptorganen des Leibes in Beziehung gesetzt, in ihm ihr Wesen haben. Diese Erkenntnis war ihm der Ausgangspunkt für eine neue Deutung der Astrologie, die in einer Art von rationaler Umwandlung in seinem Werk immer wieder vorkommt. Ähnlich wie die Astrologie deutet er aus dem Wissen um kosmische Zusammenhänge und geheime geistige „Influentien", die auf den Menschen wirken, zahlreiche andere okkultmagische Künste um. Die *Astronomia Magna* führt uns diesen Versuch der kosmischen Interpretation des Menschen aus den neu verstandenen Geheimwissenschaften vor. Wichtig ist die „Komposition", die Zusammensetzung, des Menschen aus materiell-körperlichen und geistig-seelischen Bestandteilen, die teilweise ihren Ursprung in der „siderischen" Welt der Gestirne, teils in der Himmelswelt Gottes, teils im Stoff haben. Bedeutsam ist, daß der Mensch dabei doch irgendwie als Mittelpunkt und Ziel des Kosmos angesehen wird. Um ihn dreht sich im Grunde die ganze Welt, und von ihm aus erklärt sich der Sinn der Welt, so wie andererseits Gott Anfang und Ende und oberstes Prinzip dieser Welt ist. Das Denken des Paracelsus ist — in Übereinstimmung mit den allgemeinen Grundzügen des Denkens der Zeit — anthropozentrisch, das heißt, es sieht im Menschen die Mitte des außergöttlichen Seins und die Mitte des Fragens an die Welt.

Der Mensch ist ihm aber nicht nur ein Individuum, sondern auch ein sozial geprägtes Wesen. Das ist bei einem großen Individualisten und Außenseiter, der Paracelsus nun einmal war, bemerkenswert. Wie sehr ihn die Frage der Organisation bzw. Reorganisierung der menschlichen Verhältnisse von Anfang an beschäftigt hat, erkennt man an seiner Beteiligung an den Salzburger Unruhen von 1524/25. Dabei hat diesen gewiß leicht reizbaren und aufbrausenden Mann kaum irgendein Revolutionsbedürfnis geleitet, sondern eher eine allmählich aus der Berührung mit vielen einfachen Menschen entstandene Einsicht in die Reformbedürftigkeit der menschlichen — genauer: der christlich-abendländischen — Gesellschaft. Diese Fragen haben ihn von der Jugendzeit im Kärntner Industriegebiet an über seine frühen Wanderungen durch Europa begleitet. Sie sind dann nach der Basler Episode während der Aufenthalte in Kreisen der sozialen und religiösen Reformbewegung in den Alpentälern erneut lebendig geworden und haben sich zu bestimmten Konzepten verdichtet. Ihren Niederschlag fanden sie im religiösen Schrifttum Hohenheims, das weithin sozialethische Züge trägt beziehungsweise die religiösen und theologischen Fragen aufs engste mit sozialer Kritik verbindet. Zu kritisieren war damals alles: Kirche, Staat, Gesellschaftsordnung, und außer ihm haben das bekanntlich viele andere besorgt. Der Arzt sah hier die Wunden und Gebrechen in seiner Weise, und sie waren auch auf den ersten Blick erkenntlich. Seine soziale Therapie beziehungsweise die Vorschläge dafür waren ungewöhnlich, ja radikal und beängstigend für die Umwelt. Denn er proklamierte zahlreiche Forderungen, die damals allenfalls in außenseiterischen Kreisen diskutiert und gelegentlich sogar praktiziert wurden, die aber dem normalen Bürger schauerlich erscheinen mußten, von der Obrigkeit gar nicht zu reden. Die Abschaffung der Todesstrafe, des Krieges und des Eides oder die Kritik am Übermut der Standesherren mochten noch das Geringste sein. Ernster wurde es mit kommunistisch anmutenden Ideen von der Teilung des Arbeitsertrages oder von Arbeitsverpflichtung bei Notständen oder vom Gemeineigentum des dem Kaiser zur Verfügung übergebenen Bodens. Er hat die Berufe und die Ständeordnung einer ernsten Überprüfung unterzogen. Fragen des Eigentums, der Arbeit und der Arbeitsmoral wurden behandelt. Ihn interessierten Probleme der Ehe und der Familie, deren grundlegende Bedeutung für die Gesellschaft er sah, und der Kindererziehung ebenso wie die Armenfürsorge und die Güterteilung beziehungsweise der rechte Gebrauch von Besitz und Vermögen. Neben den Theologen und den weltlich herrschenden Hierarchen sind es besonders die Juristen, auf die seine Kritik zielt, weil sie ihm als Helfershelfer der gegenwärtigen schlechten Gesellschafts- und Wirtschaftsordnung erscheinen. *De nupta* handelt, um nur Beispiele aus den hierher gehörigen Schriften zu zitieren, von der Eigentumsfrage, *De honestis utrisque divitiis* vom richtigen Güter-

gebrauch, *De tempore laboris et requiei* vom Arbeitszeitproblem, *De magnificis et superbis* von der Obrigkeit. Hinter dem allen leuchtet das Bild einer besseren Zukunft auf,
einer erneuerten Gesellschaft und einer gereinigten Religion,
einer Welt der Güte und Menschlichkeit und des einfachen
Lebens, die an die Stelle der bösen alten Zustände treten
sollen. Es war wohl sein Glück, daß die nur handschriftlich
erhaltenen Schriften, in denen er solche Fragen aufrollte, zu
seinen Lebzeiten nicht weit verbreitet beziehungsweise überhaupt nicht bekannt waren. Man hätte seinen sozialen und
politischen Ketzereien kaum zugute gehalten, daß sie von
einem bedeutenden Manne stammten. Sie sind von einer
Modernität, die den heutigen Leser immer wieder fasziniert
und etwas von der Sichtigkeit des großen Genius offenbart,
der die Entwicklung künftiger Jahrhunderte vorwegnimmt.
Andererseits sind sie, aus ihrer Zeit heraus gesehen, zweifellos auch wieder ein Rückfall in altertümliche wirtschaftliche
und soziale Vorstellungen, der aus dem Aufgewühltsein und
aus der Unsicherheit einer Umbruchszeit zu erklären ist,
die vor allem wirtschaftlich beängstigende Erscheinungen
zeigte. Utopische und archaistische Züge haften dieser Gedankenwelt gleichermaßen an.

Ähnlich stand es um seine theologischen Ansichten. Nicht
zufällig wissen wir von erster theologischer Schriftstellerei
aus der gleichen Zeit, da er in die sozialen Unruhen in Salzburg verwickelt wurde. Hier beschäftigte ihn die Frage der
Gottesmutterschaft Mariens, die er bis an sein Lebensende
verfolgen sollte. Wenn er nicht nur Maria als das reine Gefäß für Christus ansah, sondern auch die Sündlosigkeit ihrer
Mutter Anna behauptete, also gleichsam noch eine Stufe
weiter zurückging, so entsprang das seinem Interesse an der
Göttlichkeit Christi, dem er einen unirdischen geistlichen
Leib zuschrieb. Diese Theorie wurzelte wieder in seinen
Vorstellungen vom Menschen und von seiner höheren Bestimmung für die Auferstehungswelt des „limbus aeternus".
Der Mensch folgt dem Vorbilde Christi. Das Abendmahlssakrament, über das er zahlreiche größere und kleinere Ab

handlungen hinterlassen hat, enthält für ihn entscheidende Aussagen über den Zusammenhang zwischen göttlicher und menschlicher Leiblichkeit und über das Ziel des menschlichen Lebens und das Schicksal des irdischen Leibes. Kaum einer hat damals so wie er die Einheit und Ganzheit des Menschen auch in seinen religiösen Beziehungen herausgearbeitet. Alle diese Fragen führten ihn in die Regionen dogmatischer Spekulation, und er hat dabei allerlei Vorstellungsgut verwendet, das aus Seitenströmen des Christentums und vielleicht auch aus der Glaubenswelt des Volkes stammte. Dogmatische Fragen — bis hin zur Trinitätslehre — hat er immer wieder einmal behandelt. Vor allem aber stürzte sich dieser „Laientheologe", wie man ihn wohl am besten nennt, im Sinne seiner Zeit auf die Quellen des Christentums, das heißt auf die Bibel. In zahlreichen umfänglichen Kommentaren zu einzelnen biblischen Büchern besitzen wir heute noch den Niederschlag dieses unermüdlichen Suchens nach der Wahrheit, das sich aber immer wieder sofort zur Kritik an der Zeit verdichtete und aktuelle Probleme aufgriff. Er hat sich sogar „Doktor der Heiligen Schrift" wegen seines Bibelverständnisses genannt. Hier ist eine gewisse Verbindung zur Reformation sichtbar, obwohl er sich nach der St. Galler Zeit deutlich von Luther wie von Zwingli distanziert und seine eigene Stellung in der damaligen christlichen Welt behauptet hat, zumindest innerlich.

Die sozialistischen Theorien des Paracelsus sind, wie angedeutet wurde, in die theologischen Schriften eingearbeitet. Das macht sich besonders bei einer Art von kleinen Werkchen bemerkbar, die er als *Sermones* (‚Predigten') bezeichnet und in denen er viele kritische Gedanken untergebracht hat, wie denn überhaupt ein großer Teil seiner theologischen Werke predigt- oder katechesenartig wirkt und eine unsichtbare „Gemeinde" von Getreuen anzusprechen scheint. Im übrigen weist ein Teil dieser Werke aus seiner Spätzeit, den er selbst als „Vita-beata"-Schriften im Rahmen einer *Philosophia Magna*, einer „hohen (Religions-) Philosophie", bezeichnet hat, vieles an zarten, manchmal auch resignierten Gedanken zum Leben und zu den Pflichten des einzelnen Christen und der Christenheit auf. Es hatte sich in ihm wohl die Erkenntnis von der Unerfüllbarkeit seiner Ideale und Hoffnungen auf Erden durchgesetzt, und er richtete nun seinen Blick stärker auf eine schönere Zukunft, ja auf die Vollkommenheit der Auferstehungswelt in Gottes Ewigkeit, in der alles irdische Unvollkommene einmal zurechtkommen würde, auf ein Leben, in dem das „höchste Gut" („summum bonum") den Menschen Erfüllung ihres geheimsten Sehnens bringen würde. Grundgedanken und Sehnsüchte des frühen Christentums sind hier ebenso wie mittelalterliche Apokalyptik und Eschatologie — in eigentümlicher Verwobenheit in die Verhältnisse und Fragen der Zeit — wieder lebendig geworden. Auch traditionelle Begriffe der Mystik — wenngleich in ethischer Verformung, da Paracelsus kein Mystiker war — treten hervor wie beispielsweise in dem „summum bonum". Die Vision eines Gottesreiches auf Erden, die er einmal gehabt hatte, ist ihm allerdings wohl in seinen letzten Jahren zerronnen, aber der Gedanke vom vollkommenen christlichen Leben im „höchsten ewigen Gut", wie ihn das Büchlein *De summo et aeterno bono* schildert, blieb.

Wenn auch der größte Teil dieser Ideen, ebenso wie seine medizinischen Reformpläne, den Zeitgenossen verborgen oder fremd bleiben mußte und wenn ihr Urheber das Schicksal des Nicht-Verstandenseins mit so vielen Großen der Weltgeschichte des Geistes teilen mußte, so hat das Ganze doch seine Fernwirkungen gehabt und späte Früchte getragen. Die große Masse der fast nur handschriftlich überlieferten theologischen und religionsphilosophischen Schriften war freilich bis zur Gegenwart fast unbekannt. Aber die auch in anderen Werken vorhandenen Grundvorstellungen wirkten doch, und erst recht war das Medizinische und Naturphilosophische, das im Laufe des 16. Jahrhunderts (abschließend durch Johannes Huser 1589–1591) gedruckt wurde, durchgedrungen. Eine wachsende Zahl von Ärzten folgte ihm, Philosophen und religiöse Kreise verehrten ihn, bis hin nach England und in die Welt der Shakespeare-Zeit. Metaphysische Spekulationen knüpften an ihn an, Dichter wählten ihn und seine Lehren zu ihrem Gegenstand. Der Tiefsinn seiner Gedanken über Mensch und Welt wurde bewundert und seit dem 19. Jahrhundert mehr und mehr ans Tageslicht gezogen. So wurde dem jung verstorbenen Genie mit der überdimensionalen Lebensleistung, dem Reformer und dem seine Zeit überragenden Propheten eine späte Anerkennung zuteil, die dem rastlosen Sucher während seines mühevollen Erdenwandels versagt geblieben war.

Kurt Goldammer

Die Rechtschreibung und Interpunktion der paracelsischen Texte dieser Ausgabe ist modern. Im Lautstand würden möglichst die Eigenheiten des Sprachgebrauchs der Originalvorlagen beibehalten, soweit nicht im Interesse des Verständnisses erforderliche Anpassungen an die gegenwärtige Ausdrucksweise vorgenommen werden mußten.

I. EINZELSCHRIFTEN

Labyrinthus medicorum errantium[1]
durch den hochgelehrten Herrn Theophrastum von
Hohenheim, beider Arznei Doktor, auf das fleißigest
gemacht und zusammengeschrieben

*Theophrastus von Hohenheim etc. sagt den hippokratischen
doctoribus seinen Gruß*

Daß ich anzeig, aus was Büchern ich gelernt hab, dünkt
mich, es sei die Zeit und Stund, zu entgegnen, daß's
billig geschähe, damit daß mancher aus dem Verwundern komme. So wisset nun, lieben Herren und guten
Freunde, daß die Bücher, so an euch und an mich von
den Alten her gelangt haben, mich genugsam zu sein
nit gedeucht hat. Denn sie sind nit vollkommen, sonder
ein ungewisse Geschrift, die mehr zu Verführung dienet
denn zum rechten, schlichten Weg. Welches mich auch
geursacht, sie zu verlassen. Nun ist nit minder, ein Jünger kann ohn einen Meister nit sein. Der Jünger muß
vom Meister lernen. Und das ist je und je in mir gelegen, wo der Meister sei, der da lehre, dieweil die Skribenten für Meister nit können geacht't werden. Auf
solchs hab ich gedacht: wie, wenn kein Buch auf Erden
wäre, gar kein Arzt, wie müßt [dann] gelernt werden?
So find't sich, daß die Arznei ohne Menschenmeister
wohl kann gelernet werden. Wie aber und in was Weg,
hab ich hie zusammengesetzt; dieselbigen Bücher, die
dann in Erfindung[2] aller Künsten und theorica die

1. Labyrinth (Irrgang, Vexiergarten) der irrenden Ärzte.   2. An-
eignung, überlegende Betrachtung.

33

rechten Hauptbücher sind. Welche nun dieselbigen sind, folgt in diesem Buch hernach, darinnen männiglicher wohl mag gedenken und eigentlich wissen, daß der Mensch sein Heil im Menschen nit suchen soll, als in einem alleinigen Meister; sondern den Menschen fahren lassen und suchen die Hauptbücher, in denselbigen vollkommen zu werden.

Das ist der ganz Grund, zu wandlen in dem natürlichen Licht, das der Mensch von ihm selbst und aus eigner Vernunft nit geben kann. Etwas gibt der Mensch, aber unvollkommen. Was vollkommen sein soll, das muß weiter gesucht werden; nämlich bei dem Brunnen, da alle Menschen aus trinken. Ob gleichwohl Gott St. Peter und andern Heiligen geben hat Gewalt, die Teufel auszutreiben, die Toten lebendig zu machen etc., so haben sie doch solchen Gewalt niemand zu geben, das ist: die Lehr und Unterweisung von Gott. Also auch wir von Gott und bei Gott das empfangen müssen. Also ist es in der Arznei. Der Mensch hat zu geben, aber allein ein schlichte Unterweisung. Das Vollkommen muß aus dem Licht der Natur genommen werden, wie von Gott die Apostel genommen haben. Denn ein Exempel sollet ihr merken. Die Apostel haben von ihnen selbst Christum nit geprediget, sondern durch den, der mit feurigen Zungen in ihnen gered't hat. Der ist ihr Schulmeister gewesen. Also ein solche Schul ist auch bei den Ärzten zu haben, daß also das Licht der Natur unterweise den Arzt aus der Philosophei, aus der Astronomei, und nit der Mensch für sich selbst, in dem doch das natürlich Licht gar nit ist. Und damit solchs wohl von euch verstanden werde, hab ich mir fürgenommen, zu setzen die Hauptbücher des natürlichen Lichts, auf daß ihr sehet, wo die Schul der Philosophei liege und wie die rechten Bücher gesucht sollen werden. Und vermein hiemit, es sei nit not, weiter die papierischen Bücher anzunehmen, und bei euch als wenig als bei mir. Denn einem jeden losen Prediger seinen

Tand zu hören, — wer kann [da] auf das End kommen oder die Wahrheit finden? In den Büchern aber kann niemand verführt werden. Denn in ihnen ist allein die Wahrheit. Dieselben durchleset, wie dann hernach folget. Denn in ihnen stehet geschrieben, wie wir allen unsern Nächsten dienen sollen und können, mit seinem Nutz und nit mit seinem Schaden.

Damit befehl[3] ich euch, wer ihr seiet, die ihr etwa Leibsorger werdet, die löblichen Herren in der Gemein des Erzherzogtums Kärnten, dieselbigen euch als in natürlicher Hilf verordnet im treulichsten lassen befohlen zu sein; und sonderlich in Ansehen der großen Liebe und geneigten Willen, so ihr billig gegen alle Kranken traget, daß dieselbigen erlediget[4] werden. Und seid eingedenk, so Gott gesagt hat: „Der weis Mann wird nit verachten die Arznei", — daß Gott in Sonderheit da wirket und wohnet.

Gegeben am ersten Tag Augusti im achtunddreißigsten Jahr[5].

VORRED

in Labyrinthum medicorum errantium Doctoris
Theophrasti von Hohenheim

Darum, daß Irrgehen nichts soll[6], und daß einer im Irrgang hin und her gehet, und weiß nicht, wo aus — ist vonnöten, den herauszuführen, der hineingegangen ist. Und daß, der hinein will, nicht hineinkomme, ist not, daß's geschehe und zuvorgekommen werde. Denn also viel sind in den Irrgang kommen, daß gar eben Gleichnis ist die Religion[7] der Arznei. Irrgehen und Wissen ist ein guter Verstand[8]. Aber Irrgehen und Wissen hat

3. empfehle. 4. befreit, geheilt. 5. 1538. 6. taugt. 7. Aufgabengebiet, Berufsgruppe, Gesinnungsgemeinschaft. 8. . . . ist klar zu verstehen.

zweierlei Sekten[9] in ihnen. Die da irr gehen und nit wieder weder den monoculum[10] noch die Porten finden können, sind verirret wie die Blinden, denen gar nichts wissend ist. Diese gehen und suchen, haben nimmer kein End. Einem ist es ein Schneckenhäuslein, dem andern ein verworrner Strang von einem Haspel. Und [sie] suchen, da nichts ist; und finden, da nichts ist; und finden das, das nichts ist. Andere sind, die gehen hinein, bis sie in centrum labyrinthi kommen. So sie nun im selbigen sind, so ist der monoculus gefunden, den etlich heißen Minotaurum. So er gefunden wird, so ist er deren aller König, die bei ihm bleiben; da regiert jetzt das monoculatus mit ihrer scientia. Es ist ein schwer Irrgang, wenn die Kunst irr gehet. Und so einer in der Weisheit irr gehet, sind die bösesten Irrgäng und nachfolgend die finsteresten.

Nun ist nit minder, dieselbigen bringen im Irrgehen viel Experimente zuwege. Denn also peregrinieren sie hin und wieder und doch nit vor das Tor hinaus. [Das] macht mehr Schwindel, auch zorniger, denn in die Weite gen finstern Sternen[11]. Sie finden in diesem labyrintho experimenta experimentorum und alle tollen Labyrinthen. Wie der Meister, also der Schüler; wie der Schmied, also das Zeug; wie die Kunst, also das Werk. Was unter dem Minotauro, der dann der monoculus ist, wohnet, ist gar blind. Das ist aber not, daß der König besser sehe denn sein Reich. So er nun besser sehen muß, so müssen die andern Einwohner seines Reichs gar blind sein; so müssen auch blind sein ihre studia, ihre doctrina, ihre opera, ihr Speculieren, ihre sapientia, ihre scientia, ihre praxis, ihr Visitieren. Gehen also ohn ein Auge in labyrinthum. Von dem, daß das Auge nichts sieht, sehen sie selbst auch nit. Zudem, Irrgehn ist noch böser, ob sie gleichwohl sehen. So sie

9. Richtungen, Gruppen.   10. Einäugiger, der die Blinden führt.
11. Santiago de Compostela (span. Wallfahrtsort), Cabo de Finisterre.

schon dem Minotauro gleich wären, so ist er allein. Mit dem einen Auge hat er genug zu schaffen, daß er sich nit selbs übersehe und die andern fahren laß. Denn *ein* Auge sieht nur auf die Seite, das ander ist finster.

Nun sehet: irr gehen in Künsten, in der Weisheit, im Verstand, wie so schwerlich das ist und schädlich denen, die des im Irrgang erwarten müssen, bis er zum Grund kommt. [Folgt eine Auseinandersetzung über die traditionelle Schulmedizin und über die Rolle der jüdischen, arabischen und griechischen Ärzte.] Wie es aber ergangen ist in allen Dingen: je mehr Witz, je mehr Irrgang! Denn des Menschen Verstand gibt's nit. Es muß sie allein geben derjenig, in des Hand sie ist. Dem nach sind kommen die Letzten und als die Letzten und haben sich aber in den Irrgang auch eingelassen, denselbigen zu treten. Die Letzten werden aber die Besten[12]. Die Ersten haben wenig gesollt[13] und genützet. Es liegt forthin an den Letzten, sonst wird es alles versäumt sein. Darum von deswegen den Irrgang zu entdecken, woher sein Ursprung kommt, ist die Meinung auf diesmal bei mir gefaßt, die rechten Bücher anzuzeigen, in denen die Irrwege können erkannt werden und durch sie geurteilt; und ein Gang anzufangen nit zu dem einäugigen Minotauro, sondern zu dem mit dreien Augen, beschlossen in *einer* Gottheit, und in demselbigen Wege handlen und wandlen. Und welcher im selbigen wandlet, der ist selig. Der selig ist, ist ohn Irrsal, ohne Betrug, und kein Falsch in seinem Herzen.

Theophrastus lectori salutem

Dieweil, Leser, das Geschrei über mich gehet, ich sei der, der da in die Arznei falle und steige nit zur rechten

12. Vgl. Matth. 19, 30.   13. getaugt.

Tür hinein, wie sich gebührt — nun, Leser, gegen dich will ich mich verantworten, und das also. Sagen sie mir, welches ist zur rechten Tür hineingangen in die Arznei? Durch den Avicennam, Galenum, Mesue[14], Rasim[15] etc. oder durch das Licht der Natur? Denn da sind zween Eingäng. Ein ander Eingang ist in den bemeld'ten Büchern, ein ander Eingang ist in der Natur. Ob nun nit billig sei, Leser, daß da ein Übersehen[16] gehalten werde, welche Tür der Eingang sei, welche nit? Nämlich die ist die rechte Tür, die das Licht der Natur ist; und die ander ist oben zum Dach hineingestiegen. Denn sie stimmen nit zusammen. Anders sind die codices scribentium, anders das lumen naturae; anders das lumen apothecariorum, anders lumen naturae. So sie nun nit *eins* Wegs sind, und doch der recht Weg in dem einen liegen muß, acht ich, *das* Buch sei das recht, das Gott selbst geben, geschrieben, diktiert und gesetzt hat. Und die andern Bücher nach ihrem Bedünken consilia, opiniones geben, so viel sie mögen — der Natur ist nichts genommen.

Das, Leser, ist dir wohl wissend, daß allein von *einem* ausgehet die Kunst der Arznei, als nämlich von Gott. Nun muß einmal vom selbigen der Grund herfließen. Nun auf das zeigt er an sein weiter Anzeigung; sagt also, er hab die Arznei wunderlich geschaffen. Nun was ist das gered't, als allein, er hat sie in *das* Buch geschrieben. Da such's, da lies es, da findest du's. Und der weis Mann wird vor ihr nit scheuen. Das ist: er wird die Arznei brauchen, ist er von Gott. Denn niemand ist weis, als allein der in Gottes Werken kein Scheuung hat. Der aber scheuet in der Arznei, in dem ist Gott nit, auch die Arznei nit. Denn wo Weisheit Gottes nit ist, da ist auch der nit, von dem die ausgehet. Also auch: willst du ein Arzt werden, am ersten such die Arznei,

14. Arabischer Arzt (ca. 777/780—857).   15. Arabischer Arzt (ca. 850—823/832).   16. Überschau, Betrachtung.

da sie ist (bist du weis), und erspekulier keine von dir
selbst. Denn es ist nit rhetorica, noch partes orationis.
Da nimm sie, da sie geschrieben stehet, so irrest nit.
Und besieh alle die Bücher, so gemacht sind. Was konkordiert in das Licht der Natur, das besteht und hat
Kraft. Was aber in das nit konkordiert, das ist ein
labyrinthus, der kein gewissen Eingang, noch Ausgang
hat. Viele vermeinen, sie haben geschrieben aus dem
Licht der Natur, und ist nichts. Etwas haben sie, aber
zu frühe in Irrgang gangen. Ich acht aber, sie haben
entlehnet von denen, denen Gott Gnad geben hat, und
dieselbigen unterdrückt, und das Perlein im Irrgang
funden, denn es ist unter die Säu kommen[17].

Darum, Leser, dermaßen lies, daß die rechten Bücher
des ersten Arztes gelesen werden, in denen alle Arznei
stehet. Der erleucht't allein. Und ohn ihn ist nichts.
Vale.

DAS ERSTE KAPITEL

*Von dem ersten und höchsten Buch der Arznei, in welchem
ein jedlicher Arzt sein Kunst nehmen und erfahren soll,
welchs aus dem einigen Geist gehet.*

Das höchst und das erst Buch aller Arznei heißt sapientia. Und ohne dies Buch wird keiner nichts Fruchtbares
ausrichten. Und das ist sapientia: daß einer wisse und
nit wähne, also daß er alle Ding verstehe und mit Vernunft gebrauche; und daß's ein Vernunft und Weisheit
sei ohn Torheit, ohn Narrheit, ohn Irrsal, ohn Zweifel;
sondern der recht Weg, der recht Grund, der recht Verstand und das recht Ermessen und Erwägen ein jedlichs Ding in seiner Waag trage. Denn im selbigen Buch
ist der Grund und Wahrheit und aller Dingen Erkennt-

17. Vgl. Matth. 7, 6.

nis. Denn aus der Erkenntnis werden alle Ding regiert, geführt und in ihr Vollkommenheit gebracht. Und das Buch ist Gott selbst. Denn allein bei dem, der alle Dinge geschaffen hat, bei demselbigen liegt die Weisheit und der Grund in allen Dingen. Durch ihn wissen wir, weislich zu handlen in allem dem, in dem wir wandeln sollen. Und ohn ihn wissen wir keinerlei zu regieren, zu führen, zu gebrauchen, wie es sein soll. Ohn ihn ist es alles ein Narrheit. Zu gleicher Weis wie die Sonn auf uns scheint, also müssen auch die Künst von oben herab auf uns scheinen. Denn was ist Weisheit, als allein die Kunst, daß ein jedlicher sein donum, sein officium wisse und kenne? Und das können wir als wenig haben aus uns selber, als wenig wir Tag und Nacht, Sommer und Winter haben können.

Und ob gleichwohl die Arznei natürlich ist, das ist: sie ist bei uns auf der Erden, wie das argentum vivum[1], wie guaiacum[2] etc. — so muß sie doch von dem höchsten Buch uns gezeigt werden, also daß wir durch dasselbe lernen, was in ihr sei, wie es in ihr sei, wie es von der Erden genommen soll werden, wie den Kranken und welchen Kranken. Denn das corpus ist kein Arznei, es ist die Erde. Das ist die Arznei, die *im* corpus ist, das die Erde, Blut und Fleisch ist wissen. Aus dem dann folgt, daß die Arznei aus dem Geist fließen muß, der im Menschen ist (welcher von dem ist, zu dem er wieder gehet). Derselbig ist der discipulus medicinae. Also auf solches folgt, daß die erste Lehr und Erforschung ist, daß wir am ersten sollen suchen das Reich Gottes. Da liegt der Schatz, die Schul des Grunds der Weisheit eines jedlichen Menschen in seinem officio. Demnach werden uns alle Ding geben. Denn so wir suchen, klopfen an, bitten in dem Reich Gottes, was mag Edlers sein? Denn wir sind irdisch Leut miteinander und haben nichts in der Schul der Erden denn

1. Quecksilber.   2. Guajakholz.

Narrheit. Darum werden wir gewiesen, zu suchen im Reich Gottes, in dem alle Weisheiten liegen. Des Spruchs kann sich der Arzt nit erwehren. Ob er gleichwohl vermeint, die Natur sei nit im Reich Gottes, so meint er falsch. Denn sie kommt von Gott. Und obschon der Ungläubig ein Arzt ist ohn Suchung des Reich Gottes, so wird's dahin vermeint: ohn Gott wird nichts. Der Geist geistet, wo er will; ist niemands eigen. Er hat sein freien Willen. Darum so muß der Arzt seine principia im selben auch nehmen. Und ohn ihn ist er nichts als ein pseudomedicus und ein Errant eines fliegenden Geists. Sondern will er lernen die Wahrheit der Kunst, so muß er also den Eingang machen. Und so er nit also eingehet, so lernet er für und für, und kann auf kein End der Wahrheit kommen. Wie denn Paulus genugsam gemeldet und Unterricht gibt männiglichen, aus wem ein jedlicher sein Weisheit nehmen soll.

Denn gebricht einem Arzt Kunst, das ist Weisheit, so such er's, wie ihn der Apostel Jacobus lehret, natürlich Kraft zu erfahren von Gott und die verborgenen mysteria. Soll sich niemand befremden, daß ich sag, daß Gott das erste Buch sei. Denn Ursach: wer erkennt die Arbeit am besten, als der sie gemacht hat? Der weiß derselbigen Arbeit Kraft darzugeben und anzuzeigen. Wer ist nun, der die Arznei gemacht hat, anders als allein Gott? Wer ist dann, der sie wisse, als allein Gott? Nun fließt es aus ihm wie die Wärme von der Sonne; die treibt die Blüte herfür. Also sollen unsere Weisheiten aus Gott auch fließen. Darum sag auf solches: was ist auf Erdreich gefunden worden, das nit durch Gott an uns gelanget habe? Er hat's alles in seiner Hand behalten. Wollen wir's aus der Hand nehmen, es muß durch Bitten geschehen, durch Suchen und durch Anklopfen. Also gehet der Weg in die Schule! Denn mit Gewalt, mit Stehlen, mit Verquittern[3] schaffen

---

3. räsonieren, schimpfen.

wir da nichts! Denn der, so uns geheißen hat bitten um das täglich Brot, der heißt uns auch bitten um das, das mehr ist denn das Brot. Denn nit allein im Brot ist unser Leben, sondern auch in den Künsten und Weisheiten, die da ausgehen von dem Mund Gottes. In demselben sollen wir uns füllen. Und die Bauchfüll für tödlich[4] achten, die ander für ewig. Denn die gelehrt sind, werden scheinen im Reich Gottes wie der Schein der Sonne. Diese Lehr muß aus Gott gehen. Also ist ein jedliche vollkommene Gab von Gott, der uns heißt bitten, suchen und anklopfen, und sagt, was wir in seinem Namen bitten, das werden wir gewährt. Daraus dann folgt, daß uns nit Stein oder Schlangen für Brot gegeben werden, sondern ein Bessers[5].

Das soll nun ein jedlicher natürlicher Schüler wissen, daß er in solcher Gestalt die Natur erfahren muß. Denn das Wort, da er spricht: „Lernet von mir" — das muß erfüllt werden, oder es wird kein Grund der Wahrheit erfunden[6] werden. Denn was ohn ihn erfunden wird, das ist alles ein Blindes, ein Finsternis ohn Licht. Also müssen die secreta und mysteria der Natur in uns kommen. Also werden uns die magnalia Gottes offenbart. Also kommen herfür die arcana naturae[6a] durch den, der sie in die Natur geleget hat; der sich erfreuet im selbigen, so wir darin lernen und forschen die Geschrift Gottes, die uns die Dinge alle offenbaret. Gibt er dem Vogel sein Notdurft, noch viel mehr uns, die wir seiner Bildnis sind. Denn was hat der Vogel, als allein was ihm Gott gibt? Und er kann, das der Mensch nit kann. Denn alle Dinge kommen von oben herab. So wir im selbigen Buch nit erfahren sind, so sind wir mit sehenden Augen blind. Also hat's mich für gut angesehen[7], daß ich die Bücher der Arznei anzeige, bevor ich die Franzosen[8] beschriebe, damit das erst und das recht

4. sterblich, zeitlich.   5. Vgl. Matth. 7, 7—10.   6. gefunden.
6a. spezifische Heilmittel.   7. mir gut geschienen.   8. Syphilis.

Buch, in dem alle prima elementa und principia stehen, die da zu gutem vollkommenen End führen, erkannt werde; damit recht in das Haus gegangen werde und nit zum Fenster hineingestiegen, wie denn die Humoristen[9] pflegen überzwerch hineinzusteigen, und von diesem Buch nichts halten. Das beweist sich, daß sie am ersten suchen den Schatz, den der Rost frißt. Also wird ihnen auch der Rost geben. Denn was ein jedlicher sucht, das wird ihm geben. Und wo dein Schatz ist, da ist auch dein Herz[10]. In dem wirst du auch gewährt. Darum fallen sie mit Gewalt in den Spruch Pauli: „Sie tun nichts denn lernen und können doch nicht kommen auf die Kunst der Wahrheit[11]." Das ist geredt auf die, so das Reich Gottes nicht suchen, sondern das irdische.

DAS ANDER KAPITEL

Von dem andern Buch der Arznei, daraus der Arzt lernen soll, welches das Firmament ist.

Du sollst auch nicht seltsam nehmen, daß ich niemand weise auf die Bücher des Papiers, in ihnen den Anfang der Arznei zu lernen. Denn die Ursach: ist nit not, daß sie betracht't werden. Es schreiben durcheinander gute und bös, zwickdörnig[1] Leut und viel der Schwärmer durcheinander, Guts und Bös zusammen; fälschen das Gute durch das Bös; finden und erheben eher das Bös denn das Gute; und machen durcheinander ein Pludermus[2], daß einer in die Wellen kommt, kann auf kein Stille mehr kommen. Und ein jedlicher will von andern Federn sein Namen erheben und ein Neues aufbringen. Und durch solche Skribenten ist die Arznei

9. scholastischen Ärzte („Humoralmediziner").   10. Vgl. Matth. 6, 19—21.   11. Vgl. 2. Tim. 3, 7.

1. ungereimte, wirre.   2. Geschwätz.

gar zerbrochen worden. Und ist den papierischen Büchern nichts zu vertrauen. Ob gleichwohl etwa einer ein Experiment gehabt hat und Experienz etc., so ist es bei *ihm* also gewesen, und im Grund ist er selbst verführt worden. Denn der stylus zeigt an, daß große Einfalt mit Unverstand in der Arznei gewesen ist. Darum so wisset, daß andere Bücher sind, aus denen der Arzt lernen soll, aus denen der recht Grund fließt. Und ohn die Bücher des rechten Grunds sind's alles tote Buchstaben. Das ist: sie bringen die Kranken mehr zum Tod denn zum Leben.

Nun merket jetzt vom andern Buch der Arznei, welches Buch das Firmament ist. Und das Buch soll gelernet werden nach dem ersten Buch. Denn wie gemeld't ist: so ihr werdet das Reich Gottes suchen, so werden euch alle Dinge zugeworfen. Also ist auch das ein Zuwerfen, in das uns [der] weiset, der im Licht der Natur stehet. Zu gleicher Weis wie in einem Buch durch die Buchstaben gesetzt kann werden ein ganze Doktorei, also daß ein jedlicher durch Lesen dieselbige durchfahren kann, also ist im Firmament ein solches Buch, das da lehret, dieselbigen Kräft und Doktrin zu erkennen. Nicht, daß alle Dinge durchs Alphabet den Ursprung nehmen, sondern gar kein Ursprung. Dasjenig, so das Alphabet begreift[3], kommt in das Alphabet von außen hinein. Aber im Firmament, da ist es im Ursprung, und der littera ein Ding. Als ein Exempel: ein Baum, der da stehet, der gibt ohn das Alphabet den Namen Baum, und bedarf keins Alphabets zu seiner Notdurft. Und er selbst zeigt an durch sein Erzeigen, was er ist, was er gibt, was in ihm ist, wozu er ist. Und das ohn Papier, Tinte und Feder. Also wie nun der Baum sich selbst deskribiert und uns selbst lehret, wie er ist, was da ist, also ist das Buch des Firmaments auch. Von dem kommt der Ursprung in das Alphabet.

3. umfaßt, enthält.

Darum aber, daß anders und anders der Mensch gibt und nimmt, aus dem folgt, daß auch einem Gerechten nicht wohl zu glauben ist, es werde denn durch dieses ander Buch probiert[4], wie das Gold durch das Spießglas[5]. Und der dies Buch nicht erfährt, der kann kein Arzt sein, noch geheißen werden. Denn der Arzt wird gezwungen, wie einer ein Buch auf dem Papier liest, also die Sterne des Firmaments zusammenzubuchstaben und die Sentenz nachfolgend daraus zu nehmen. Denn wie ein jedliches Wort besondere Kraft hat und doch in ihm selbst kein Sentenz ist, sondern durch vollkommene Wörter, die die Sentenz ganz machen, also müssen die Sterne am Himmel auch zusammengekuppelt werden, und [müssen wir] die firmamentische Sentenz daraus nehmen, das ist: den ganzen Grund in eins fassen und verstehen. Gleichwie ein Brief, der einem über hundert Meilen geschickt wird, desselbigen Gemüt[6] verstanden wird, — in solcher Gestalt, auch in Briefsweis, das Firmament an uns langet. Nun schauet jetzt um den Boten, ihr Ärzt, wo ihr ihn findet, der euch da hin und her ginge. Also soll das ander Buch der Arznei angegriffen werden. Das Buch betrügt niemand. Es hat kein falscher Skribent geschrieben. Der hat's geschrieben, der keines Papiers bedarf, uns daraus zu lehren. Denn er hat wohl gewußt, daß pseudomedici werden aufstehen und mit letzer[7] Feder schreiben.

Also ist der Weg, in der Arznei zu studieren. Also ist das Buch der hohen Schul der Arznei. Also ist der Skribent der Arznei. Also werden die Krankheiten gefunden im Anfang und zu Ausgang. Und dieweil das ist, daß solch Buch des Firmaments auf das Papier gebracht wird, so steht's doch nit anders auf demselbigen, denn wie ein Schatten an der Wand oder wie ein Bildnis im Spiegel, die niemand ein vollkommene Unterrichtung geben können. Der aber wissen will die vollkom-

---

4. bewiesen.   5. Spießglanz (mineralisches Antimon).   6. Sinn.
7. verkehrter, schädlicher.

mene Unterrichtung, der muß denselbigen sehen, von dem der Schatten oder Bild im Spiegel kommet. Und so er denselbigen recht sieht, so wird er nit betrogen und bedarf des Spiegels nit und sieht das Lebendig. Und aus dem Lebendigen, da gehet der Grund. Also sind die Bücher der Arznei nit vollkommen in der Feder, sondern an dem Ort, da sie sind. Das ist: kein Baum kann aus der Feder kommen, allein aus ihm selbst. Denn nit das Äußer ist not zu erforschen. Das aber innen ist, das ist der Baum. Die Speis ist nit ein Speis, bis sie Blut und Fleisch wird. Alsdann ist sie ein Speis. Was das Maul isset, ist kein Speis. Was aber Fleisch und Blut isset, das ist Speis. Also sollen wir nit im Spiegel lernen. Denn das ist nit im Spiegel, das wir sollen lernen. Also sind die Geschriften und Bücher, wie denn das Firmament eines ist.

Es ist etwas mehr denn spöttig[8], daß die Ärzt so gar nit wollen in die rechten Bücher der Arznei; sonder verzehren ihr Zeit unnützlich in den erdichteten Büchern, dero Buchstaben tot ist, und in der Sentenz kein Leben (wie sie denn auch durch ihr Werke bezeugen); und betrachten nicht, so einer spreche: „das Buch der Arznei ist falsch" — daß sie es nicht könnten probieren[9], daß's recht wäre, als allein mit demselbigen Buchstaben. So ein Buch probiert[10] soll werden, so muß's probiert[10] werden aus dem, aus dem es ist. Das Evangelium: aus Christo; aus ihm ist es. Das natürlich Buch: aus der Natur; aus der Natur ist es. So nun das natürlich Buch des Firmaments nicht im Wissen ist, wie kann's durch das Spiegelbild und den Schatten bewiesen werden, dieweil *das* nit verstanden wird, aus dem es geht? Wie kann ein Zimmermann ein ander Buch haben denn sein Axt und das Holz? Wie kann ein Maurer ein ander Buch haben als Stein und Zement? Wie kann dann ein Arzt ein ander Buch haben denn

8. lächerlich.   9. beweisen.   10. bewiesen.

eben das Buch, das die Menschen krank und gesund macht? Es muß je der Verstand aus dem fließen, aus dem er ist, und das Spiegelbild von demselbigen probiert[10] werden. Das corpus ist das Buch, da sollen die Ärzt hingehen. Denn wie Christus spricht: „Wo das corpus liegt, da sammlen sich auch die Adler". Welcher Spruch auch aus dem Licht der Natur gebraucht wird. Denn wo die Arznei ist, da sammlen sich auch die Ärzt. So nun ein jedlich Ding zu seinem Aas[11] fleucht[12] und im Aas ersättiget wird, so muß je das Firmament ein Buch sein, da das Aas inn liegt des natürlichen Lichts. Wo die Künst sein, da sammlen sich auch die Künstler. Also sind die Arznei und Künst ein corpus. Und das Firmament ist ein Teil des corpus. Darum sollen sich die Ärzt am selbigen Ort sammlen.

Also verstehet das ander Buch der Arznei! Daß nicht allein genug ist, an der Fledermaus sich begnügen [zu] lassen, die ein jedlicher wie das Rohr[13] von der Luft umkehrt, hin und her biegt; sondern in den rechten Ursprung und Grund [zu] gehen (so doch die Adler zum Aas[11] fliehen[12] und fliehen sollen, ein jedliches zu dem Aas, zu dem es gehört und von dem es gespeist soll werden), damit die Kunst vollkommen erfahren werd. Denn als wenig, als das Bild im Spiegel lehren kann und den Grund darlegen, also wenig kann aus der Feder der vollkommen Grund gesetzt werden. Darum tut die Augen auf und betrachtet, zu dem rechten Aas[11] zu fliehen[12]!

---

11. Fraß; vgl. Matth. 24, 28.   12. hinziehen, fliegen.   13. Schilf.

Von dem dritten Buch der Arznei, welchs sein corpus in den Elementen hat.

Also weiter ist auch not, daß der Arzt wisse die Gesundheit und Krankheit der Elemente. Denn die Elemente und der Mensch sind näher und gefreundeter[1] denn Mann und Weib. Das macht die Konkordanz der Union, so die Elemente gegen den Menschen haben, und die Diskordanz, so die Frau und Mann gegen einander haben. Darum dieweil *ein* sanitas, *ein* infirmitas in beiden ist coaequalis actio, ist not zu wissen, was ihr Eigenschaft sei. Denn dieselbigen, so in den auswendigen vier Elementen in der Welt sind, dieselbigen also sind sie auch im Menschen. Denn da ist *ein* actio. Zu gleicher Weis wie aus der Erden den Bäumen ihr Füll wird und ihr Wesen, also auch dem Menschen. Und wie ihr sehet, daß aus der Erden Blumen und mancherlei Dinge wachsen, also auch aus dem Wasser die mineralia, aus dem chaos[2] ros und pruina etc., aus dem Feuer die meteorischen impressiones — also sind auch im Menschen die vier Elemente wesentlich und im selben dergleichen species und generationes. Der nun die äußerlichen nit verstehet und erkennt als ein Buch, in dem der philosophus lernen soll und sein Philosophei dermaßen ergründen (zu gleicher Weis wie aus eim andern Buch der astronomisch medicus wächset, also da der philosophisch medicus aus dem Buch der Elementen), was wollt derselbig inwendig erkennen, das ist im Menschen? Denn der Mensch ist corpus physicum und die Elemente corpus limi[3]. Und das corpus physicum entspringt aus dem limo[3]. Darum es auch behält die essentiam limi, wie der Sohn des Va-

---

1. verwandter.   2. Luft.   3. Erdenlehm, aus dem Gott den Menschen schuf (1. Mos. 2, 7); bei P. Lebensgrundstoff, als Auszug aus allen vier Elementen.

ters essentias im Blut und Fleisch, als einem Menschen zusteht.

Darum so wisset, dieweil die Elemente Mütter sind physici corporis, auch terrae nascentium, mineralium, tereniabin⁴, auch impressionum, und von ihnen Guts und Bös wächst, Gesunds und Ungesunds, Reines und Unreines, Dornen und Rosen, Gold und Kalk, Hagel und Tau, manna und Nebel — daß solchs auch im Menschen desgleichen ausbricht, in dem auch ist dieselbig Kraft der Distel und Gilgen⁵, des argenti vivi⁶ und des auripigmenti⁷, dergleichen mit den anderen; und aus ihnen gehen auch die procreationes alle. Das sind nun die Krankheiten des Menschen. Daß solche procreationes der Arzt alle wissen soll! Und nit aus dem physico corpore am ersten, sonder aus dem corpore limi, danach aus dem physico. Also daß das corpus limi den Buchstaben erkläre und das ganz Wort mache und die Wörter zusammenbringe, also daß ein Sentenz daraus werde in der Gestalt: was sphaera terrae in physico corpore sei, was cardiaca physica in corpore limi sei, und also mit den andern allen. Und aber daß das corpus limi fürgehe dem physico; und aus denen zweien mit Tinte und Feder der Text und Glosse gehe. Das soll der Arzt wissen, als wohl als unser Haare gezählt sind, die wir am Kopf tragen (das von Gott gezählt ist)⁸ — also sollen die generationes gezählt sein bei dem Arzt der Gesundheit, der Krankheit.

Nun ist ein jedliches Element geteilt in drei Stück. Und sind aber unter *einem* Schein, Form, Farben, Figuren und Ansehen. Nämlich in sal, das auch balsamum heißt; in resinam, das auch sulphur heißt; in liquorem, der auch mercurius heißt. Aus den dreien wachsen alle Dinge: die procreationes elementorum corporis limi, desgleichen die procreationes elemento-

---

4. Manna, Himmelstau (Pflanzendroge).   5. Lilie.   6. Quecksilber.   7. Auripigment (Arsentrisulfid).   8. Vgl. Matth. 10, 30.

rum corporis physici. Die drei konfizieren ein jedlichen Leib. Und ein jedlich corpus hat weder minder noch mehr dann die drei. Die drei machen die metalla; die drei machen die mineralia; die drei machen Stein, Holz, Kraut und alle Gewächs, Empfindlichs[9] und Unempfindlichs. Aber anders ist die Art auf die metalla, anders auf Fleisch und Blut, anders auf Holz etc. Aber der medicus achtet des nit, sondern er achtet des Innern, das sein subiectum ist.

Und aus den Elementen werden sie geboren. Nun wisset jetzt auf solchs, daß solche vier matres elementorum mit solcher Eigenschaft im Menschen gebären: als nämlich aus dem Element terrae seine species, aus dem Element aquae seine species, aus dem Element ignis seine species, aus dem Element chaos[10] seine species. Jetzt folgt aus dem, wie aus der Erden flammula[11] wächst und mandragora[12], die widerwärtiger[13] Natur sind und doch aus *einer* Mutter geboren, also werden auch Krankheiten im Menschen aus den Elementen. Nicht, daß man sprechen möcht, daß aus dem Element terra nichts wachs denn Kalt, Trockens. Auch also vom Element Wasser und von andern auch zu verstehen ist, daß nicht eben Wassers Art wachse oder Lufts Art etc., sondern auch wider die Art der Mutter. Denn wer kann sagen, daß die Mutter der Dinge *ein* Komplexion[14] hab? Niemand! Da Komplexiones aus wachsen, da ist kein Komplexion in. Sondern aus dem Temperament gehet es. Und temperamentum hat in ihm alle complexiones und die gradus, die noch niemand gezählt hat, noch in algorismum[15] nie kommen sind. Und [die] liegen darin zu gleicher Weis wie ein Holz — das ist: was Form man will, die kann man daraus schnitzen,

---

9. D. h. Menschen und Tiere (mit Wahrnehmung begabte Wesen). 10. Luft.   11. Hahnenfuß (Ranunculus flammula).   12. Alraune (Atropa mandragora).   13. entgegengesetzter.   14. Gesundheit und Krankheit bildende Grundeigenschaften der Menschen.   15. ein Mathematikbuch.

Bild oder anders. Also ist auch ein corpus, das da gibt die complexiones und ist doch dieselbigen nicht.

Und solches soll der Arzt verstehen von der Ursach wegen, daß er nicht die qualitates und humores[16] anzeig, sondern die Elemente als Mütter und ihre procreationes als species, nicht humores. Nicht daß man sagen soll: „Cuius humoris? Melancholici!" — so doch melancholia nichts ist denn eine tolle unsinnige phantastica Krankheit, nicht ein Säul aus den vieren. Auch nicht sagen: „Cuius complexionis? Cholericae!" (sondern: „Calidae sectae") — nun ist auch cholera nicht ein Säul aus den vieren, sonder aus aller Arten Ausweisung ein morbus. Also auch [nicht]: „Cuius qualitatis? Sanguineae!" — so doch sanguis nicht ein Säul ist aus den vieren, sonder das corpus venarum wie der Wein im Faß. Also auch nicht: „Cuius naturae? Phlegmaticae!" — nun ist doch phlegma ein Rotz aus der Nasen; was gehet er den Bauch an? — Aber: „Cuius elementi? Aquae, terrae, ignis, aeris!" — jetzt steht die Antwort! Aus was Element kommt die Krankheit? Aus dem Feuer, nicht cholera; aus dem Erdreich, nicht melancholia; aus dem Wasser, nicht phlegmate; aus der Luft, nicht sanguine. So reimt es sich! Und nit saget: „Das ist melancholicum" — dieweil weder Himmel noch Erden von der Melancholei weiß. Nicht saget: „Das ist cholera, phlegma, sanguis etc." — so die Natur in ihrem Prozeß und Ordnung nichts davon schmeckt, noch weiß.

So nun der Arzt also die Elemente lernet erkennen, so find't er in den generatis alle Krankheiten, damit doch der Mensch beladen ist. Und wie flammula[17] ist, also ist auch der morbus flammulae. Was willst du jetzt viel in Büchern umwühlen, umlaufen und suchen von vesicis, von wannen, sie kommen? Weißt du, von wan-

16. Grundlegende Körpersäfte der scholastischen Medizin.   17. Hahnenfuß (Ranunculus flammula).

nen linum palustre[18] kommt, von wannen urtica[19], von wannen melones, von wannen plumosum[20], so weißt du auch sein morbus und seine species. Wo bleibst du mit der cholera adusta und melancholia? Aus den generatis procreatis und filiis und filiabus der Elementen sollst du das physicum corpus in seinen Krankheiten erkennen, diszernieren und judizieren, species in specie, materiam ex materia, den Menschen aus den Elementen. Und was die generata für Krankheiten haben in den ersten Gewächsen, die soll der Arzt lernen. Denn durch das Buch der vier Elemente find't er den Menschen deskribiert. Nicht im Papier der arzneiischen voluminum, die aus dem Buch der Elemente nicht gewachsen sind. Und niemand kann ein Buch machen oder ein Text — die Natur, die macht den textum, der Arzt die Glosse[21] über dasselbig Buch. Nun siehe, wie reimt es sich zusammen, dein Glosse und der Elementen Text? Wie Kleie und Salz! Also nimm dein Deskription, wie die Elemente an ihnen haben, ein jedlichs corpus nach seiner Art; wie denn die magnalia Gottes geziert sind. Denn was das Holz fäulet[22], dasselbig fäult auch den Menschen. Das dann den Menschen Würm macht, das macht auch Würm im Obst. Also muß man in die Schul gehen, darinnen man Arznei lernet mit Wahrheit und nicht mit Umzug nach der Larven.

18. Wollgras (Eriophorum spec.).   19. Brennessel (Urtica spec.). 20. vielleicht eine nicht näher ermittelbare Pflanze.   21. fortlaufende Erklärung.   22. faulen läßt.

Von dem Buch physico, das da lehret den physicum corpus in microcosmo erkennen; das ist das Buch anatomiae maioris.

Nun weiter so folgt auch, daß der Arzt wissen soll, wie vielerlei species corporum in dem *einen* physico corpore sind, nachdem er das dritte Buch erfahren hat und weiß in demselbigen, wie die ganzen Elemente in sich selbst geschaffen sind. Nach demselbigen muß er solche monarchiam[1] mundi auch finden im Menschen. Das ist nun das viert Buch, daß er lerne erkennen, auch weder minder noch mehr in physico corpore auch zu sein, als wohl als er auswendig weiß, wie vielerlei species lignorum, lapidum, herbarum etc., und daß dieselbigen species auch im Menschen sind. Doch aber nicht in solcher Gestalt wie in den Elementen, sondern in Gesundheitsweis oder Krankheitsgestalt sollen sie im Menschen erfunden[2] werden. Das Gold in Elementen ist als ein Gold im Menschen, als ein natürlich Konfortativ (wie in seinem Kapitel erklärt wird). Also weiter so wisse von allen anderen speciebus der Elemente, daß sie auch also im microcosmo sind. Der nun weiß, die species zu nehmen und zu erkennen in physico corpore (also: das ist im Menschen der saphir, das ist der mercurius, das ist der cypressus, das ist flos cheiri[3] etc.), der hat das Buch physici corporis wohl erfahren und ergründ't. Und so er nun solche species corporales wohl weiß und erfahren hat, alsdann kann er ein medicus sein und sein theoricam finden, die nicht speculativa soll sein; sondern aus der practica soll sie geboren werden, aus denen Büchern allen, von denen ich hie anzeig. Denn nicht aus der speculativa theorica soll practica fließen, sondern aus der practica die

1. Ordnung, Bereich.   2. gefunden, wahrgenommen.   3. Blüte von Goldlack (Cheiranthus cheiri).

theorica. Also ist das ein practica, wie bisher und weiter die Bücher erzählt werden.

So nun der medicus solchermaßen die Konkordanz anatomiae beider Fabrikation (machinae mundi und physici corporis) zusammengestellt hat in gleiche Austeilung, ein jedlichs an sein Ort, alsdann so folgt hernach, daß ein andere Krankheit im Bein[4] ist, ein andere im Fleisch, ein andere im Blut etc. Wie denn auch andere Würm im Holz, andere Würm im Kraut, andere in Blättern etc. Und so viel species corporales, so viel auch genera morborum. Das ist: jedweders hat gleiche species in der Zahl. Die teilen sich in dem mit dem Unterschied: anders in den Elementen, anders im Menschen (der Korporalität und Substanz halben, aber nit der Eigenschaft halben) — und können aber im Menschen gleichförmig ausfallen. Denn [je] nach dem das Glied ist, so ist auch die Krankheit. Als anders sind die Würm des Marks, anders die Würm der Eingeweid etc. Aus solchen Dingen entspringt die Ursach der Krankheiten der Menschen. Es ist bisher geacht't worden, daß einerlei Blut in Adern liege (in allen seinen Adern, und nur allein ein Art sei), darum daß's rot ist. Denn es wird gesprochen, daß das Blut sei warm und feucht. Denn zu gleicher Weis, wie vielerlei Art des Holzes, also auch vielerlei Art des Bluts. Nicht daß man sprechen solle, *einen* Baum genugsam zu einer Institution zu sein. Nimm ein Exempel. Als man spricht: „Ein Baum mit seinem Stamm und darnach mit seinen ausgetriebenen Ästen, also sind auch die Adern im Menschen." Also bleibt nur *ein* Natur? Aber nicht also sind alle Bäum zusammen, alle Äste zusammen. Alsdann so wird gefunden, daß vielerlei Adern sind, also auch vielerlei andere Äste zu einem jedlichen Stamm besonders. Jetzt aus dem folgt die vena cypressi, die vena baccarum[5], die vena rorismarini und dergleichen. Damit so

4. Knochen.   5. Lorbeere, Lorbeerbaum.

bleibt das Blut nicht in *einem* Wesen, nicht in *einer* Natur.

Das ist das recht Buch, aus dem die anatomia folgen soll, daß der Mensch wisse der Elemente und microcosmi Substanz, proportiones etc. zu vergleichen. Nicht daß's genugsam sei, so der Körper gesehen wird der Menschen, item aufgeschnitten und abermals besehen, item versotten und abermals gesehen. *Das* Sehen ist allein ein Sehen wie ein Bauer, der ein Psalter sieht: [er] sieht allein die Buchstaben. Da ist nichts mehr von ihm zu sagen. Darum so kann das nicht bestehen. Denn Ursach, nehmet für euch jetzt dies Exempel: so viel species aquarum, so viel auch species in sanguine. Das ist: so wir wollen den corpus physicum in sein Element setzen und einem jedlichen Element sein corpus geben, so ist sanguis das elementum aquae. Ob gleichwohl das Blut alles warm ist und das Wasser nicht dermaßen alles warm, so ist es doch nicht alle von Natur warm, wie auch nicht alle Wasser warm sind, sondern empfängt dieselbig Wärm äußerlich an sich vom sale physico, wie die Erd von der Sonne. Und wie ein Feuer wärmet, also wärmet auch das elementisch Feuer im Menschen die andern Elemente, gleichwie gemeld't ist. Von der Sonne wird die Erde warm, also von der Sonne des Menschen auch das Element terrae, aquae etc. Jedoch aber so bleibt sein Natur an ihm selbst, wie sie ihm geben ist, und das andere zerbricht sie nicht. Darum aber, daß die Welt warm ist, aus dem folge, daß die Welt warmer Natur sei — das ist nicht. Eins ist kalt, das ander warm, wie denn genugsam gemeld't und erzählt ist. Und alle Dinge sollet ihr dahin ermessen, daß ihr am ersten setzet die corpora elementorum durch die species in ein jedlich Element. Also ist es auch in physico corpore, wie auswendig in den Elementen. Also wird auch gesagt, *ein* Wesen sei in ossibus; das nicht ist. Denn je vielerlei Art in Hölzern gefunden wird, also habt ihr auch solche species in ossibus.

Man sagt, der Wind hab *ein* Art; das nicht ist. Sondern vielerlei Art sind, die den Wind machen, also auch vielerlei species unter ihnen. Also auch im Menschen so vielerlei colica sind.

Also soll das Buch in physico corpore wohl ausdividiert werden. Nicht sich die falschen descriptiones lassen verführen, so da von etlichen Skribenten gesetzt sind in der Philosophei, anders und anders, *das* also zu sein, *das* also. Alsdann so man ihre opera lieset und volumina, so gehet ihr Grund allein aus ihrer Phantasei und Stubenspekulation, die kein Grund, in der Philosophei noch Medizin zu schreiben, geben kann. Also merket, daß ein philosophus soll vorgehen, darnach der medicus. Das ist: wiewohl erstlich maior mundus soll vorgehen in seinem Buch, so soll doch das von Stund an darauf folgen, also daß maior mundus vergleicht werde. Nicht allein in speciebus generum, sonder auch die loca und alle die Prozesse und Ordnungen, so cosmographia, so geographia innehaben, so viel soll auch in das physicum corpus geführt werden. Denn es ist nicht genug, daß *eine* cosmographia sei und geographia, sondern zwo sollen ihrer sein. Zwo sind auch der Welten, maior und minor mundus. Und sich die Substanz, und was die Augen ihre Bildnis sehen, nicht verführen lassen! Also ist von etlichen wohl gesprochen worden, die da sagen, wo der philosophus aufhöret, da fängt der Arzt an. Das in der Gestalt geschieht: so der philosophus maiorem mundum wohl erkennt im Himmel und Erden und in allen ihren generationibus, so hat er die Erkenntnis, zu verstehen minorem mundum. Und der in solcher Philosophei und Lehr nicht ist, der kann den microcosmum nicht erkennen. Und was er von der Natur des Menschen schreibt, ist nicht besser, als so viel der Blind von Farben red't. Er wähnet's allein, es träumet ihm allein, sieht aureos montes in Hispania.

Ob nicht billig sei, das ich euch fürhalt in diesem

vierten Buch zu lernen (darinnen mehr Grund ist denn in keim andern, so aus der Feder läuft) — erkennet's selbst. Dieselbigen schreiben gleichwie einer, der den Menschen deskribiern wollt aus dem Spiegel. Der bringt nichts davon als allein die Gestalt; weiß weiter nicht, was in ihm oder hinter ihm ist; hat gleich einen Grund in seinem Schreiben wie ein Kalb, das ein neu Tor ansieht. Solche Kälbervernunft und Konterfei vom Spiegel haben die pseudomedici gar zu Säulen gemacht.

Das fünft Kapitel

Von dem Buch der Alchimei, wie ohn dasselbig der Arzt kein Arzt sein kann.

Nun gebührt sich, das fünft Buch auch zu lernen. Aber von wegen des Namens ist es manchem unangenehm. Nun wisset aber vom selbigen: wie kann ein weiser Mann dem feind sein, das mißbraucht wird? Wie kann einer einer Lasur feind sein, so ein Maler etwas Arges daraus macht? Wer einem Stein, so der Steinmetz ihn verderbt hat? Also auch da: wer kann der Alchimei feind sein, so sie nicht schuldig ist? Sondern der ist schuldig, der sie nit recht kann, der sie nit recht braucht. Wer ist dem feind, der von ihm selbst niemand beleidigt? Wer kann einem Hund verargen, wenn man ihm auf den Schwanz tritt, daß er beißet? Weders[1] heißt der Kaiser an Galgen henken: den Dieb oder das, [was] er gestohlen hat? Nämlich den Dieb! Darum soll scientia nit veracht't werden vonwegen des Neszienten.

Nun ist es ein Kunst, die vonnöten ist und sein muß. Und so denn in ihr ist die Kunst vulcani, darum so ist not zu wissen, was vulcanus vermag. Alchimia ist

1. welches von beiden.

ein Kunst; vulcanus ist der Künstler in ihr. Der nun vulcanus ist, der ist der Kunst gewaltig; der er nit ist, der ist ihrer gar nicht gewaltig. Nun wisset erstlich, von solcher Kunst die Dinge zu verstehen, daß Gott alle Dinge geschaffen hat; aus nichts etwas. Das Etwas ist ein Sam; der Sam gibt das End seiner Prädestination und seines officii. Und wie von nichts bis zum End alle Dinge geschaffen sind, so ist doch nichts da, das auf das End gar[2] sei (das ist: bis auf das Ende, aber nit gar[2] bis auf das End), sonder der vulcanus muß es vollenden. Soweit sind alle Ding geschaffen, daß sie in unser Hand sind; aber nicht, wie sie uns gebühren zuhand. Das Holz wächst auf sein End, aber nicht in die Kohlen oder Scheiter. Der Lehm wächst, aber die Hafen[3] nicht. Also ist es mit allen Gewächsen. Darum so erkennt denselbigen vulcanum.

Also mit einem Exempel: Gott hat Eisen geschaffen; aber das nit, das daraus werden soll. Das ist: nit Roßeisen, nit Stangen, nit Sicheln — allein Eisenerz. Und im Erz gibt er's uns. Weiter befiehlt[4] er's dem Feuer und dem vulcano, der des Feuers Meister ist. Also folget, daß dem vulcano dasselbig befohlen[4] ist. Darum so ist die Kunst recht. Denn wo sie nit recht wäre, da sollt[5] vulcanus nichts. Nun jetzt folgt aus dem, daß erstlich das Eisen muß geschieden werden von Schlacken, danach draus geschmiedet, was's werden soll. Das ist alchimia! Das ist der Schmelzer, der vulcanus heißt! Was das Feuer tut, ist alchimia; auch in der Küche, auch im Ofen. Was auch das Feuer regiert, das ist vulcanus; auch der Koch, auch der Stubenheizer.

Also ist's auch mit der Arznei. Die ist geschaffen von Gott, aber nicht bereit't bis aufs Ende, sonder in der Schlacke verborgen. Jetzt ist es dem vulcano befohlen, die Schlacke von der Arznei zu tun. Und wie ihr vom Eisen verstanden habt, also ist es auch mit der Arznei.

2. ausgereift, fertig.   3. Töpfe, Schüsseln.   4. überlassen, anvertrauen.   5. taugen, nützen.

Was die Augen am Kraut sehen, ist nit Arznei, oder an Gesteinen oder an Bäumen. Sie sehen allein die Schlacke. Inwendig aber, unter der Schlacke, da liegt die Arznei. Nun muß am ersten die Schlacke der Arznei genommen werden, danach so ist die Arznei da. Das ist alchimia und das Amt vulcani. Da ist er ein Apotheker und ein Laborant der Arznei. Und wie es sich oftmals begibt, daß gediegen Silber und Gold etc. gefunden wird, also wird auch oftmals gefunden ein gediegne Arznei. Ist soviel desto eher geschieden und bereit't, wie das gediegen Silber allein des Fulminieren und Brennen bedarf. So nun das alles geschehen ist, daß die Arznei bereit't ist nach Inhalt der Kunst alchimiae, so wird sie dem Kranken zugestellt wie dem Gesunden sein Speis.

Als ein Exempel vom Brot: die äußer Kunst der alchimiae im Backofen vermag nit ultimam materiam aus ihr zu machen, finalem, sondern mediam materiam. Das ist: die Natur macht die erste bis zur Ernt; alsdann alchimia schneidt's, mühlt's, backt's bis zum Maul. Jetzt ist prima und media materia erfüllt. Jetzt fängt alchimia microcosmi an. Dieselbig hat primam materiam im Mund, das ist Brot, käuet's. Das ist das erst opus. Darnach im Magen ist die ander materia. Die däuet an dem, daß es zu Blut und Fleisch wird. Da ist jetzt ultima materia. Wiewohl nachfolgend abermals ein alchimia da ist: das ist infirmitas. Die ist prima materia. Darnach ist declinatio secunda materia, mors ultima materia. Weiter: abermals materia prima ist putrefactio, abermals weiter consumptio; ultima ist pulvis et terra. Also prozediert die Natur mit uns in den Geschöpfen Gottes.

Also folgt auf mein Fürlegen von dem, daß nichts gar[6] geschaffen ist in die ultimam materiam. Aber alle Dinge werden zu prima materia geschaffen; und über

6. ausgereift, fertig.

das so folgt der vulcanus hernach, der macht's in ultimam materiam durch die Kunst alchimiae. Also folgt der archaeus, der inwendig vulcanus, hernach. Der weiß zu zirkuliern[7] und präpariern nach den Stücken und Austeilung, wie die Kunst in ihr selbst vermag mit Sublimiern, Destilliern, Reverberiern[8] etc. Denn *die* artes sind alle im Menschen als wohl als in der äußerlichen Alchimei, die diese präfiguriert. Also scheiden sich von einander der vulcanus und der archaeus. Das ist alchimia: was nit auf sein End gekommen ist, zum Ende bringen; das Blei von Erz in Blei zu bringen, und das Blei zu verwerken, dahin es gehört. Also sind Alchimisten der Metalle. Also sind Alchimisten, die in mineralibus handlen, das antimonium in antimonium machen, die sulphur in sulphur machen, die aus vitriol vitriolum machen, das Salz zu Salz. Also lerne, was alchimia sei, zu erkennen: daß sie allein das ist, das da bereit't durch das Feuer, das Unrein, und zum Reinen macht. Wiewohl nit alle Feuer brennen, [so ist es] doch aber alles Feuer; und das bleibt Feuer. Also sind Alchimisten lignorum; als Zimmerleut, die das Holz bereiten, daß es ein Haus wird. Also die Bildschnitzer, die vom Holz tun, das nit dazu gehört; so wird ein Bild daraus. Also sind auch Alchimisten medicinae, die von der Arznei tun, das nit Arznei ist. Jetzt sehet, was alchimia für ein Kunst sei. Gleich die Kunst ist's, die das Unnütz vom Nützen tut und bringt's in sein letzte materiam und Wesen.

Warum ich das Buch anzeig, ist die Ursach, daß die Tintenbücher kein Kunst in ihnen haben, sondern sudlen's und kudlen's durcheinander und machen dann Schwaderlappen[9], daß die Säu lieber Dreck fressen,

7. Chemikalien in einem aneinandergeschalteten Kreis von Instrumenten eindampfen, verflüssigen, wieder eindampfen, wieder verflüssigen etc. 8. Einbrennung von Chemikalien zu mürbem Pulver im Tiegel, der ringsum vom offenen Feuer umgeben wird (Reverberierofen). 9. sudelige Speise.

denn ihr Gekochts. Und darum daß solche Schwader-lappen, so die Säu nicht mögen, nichts sollen[10] und [nicht] sollen gebraucht werden, darum ist alchimia von Gott gesetzt als ein rechte Kunst der Natur. Und die Sudlerei, wie die mompelierischen[11] Apotheker handlen, ist kein Kunst, sonder Sudelwerk mit ihren Sudelküchlein. Also werden die Syrup gekocht, also die laxativa, also die composita. Nun schau, wie ein hübsche Kunst in den Tintenbüchern steckt und in den erdichteten Ärzten! Solch Bladerwerk[12] ist ihr Kunst. Die Syrup sollen nit also gekocht werden, wie die Montpelierischen[11] kochen, noch die laxativa, sondern wie die scientia alchimiae medicinae lehret. Also hat's Gott verordnet. Es muß ein Arzt betrachten, dieweil Gott nichts bis an das End geschaffen hat, daß's weiter den vulcanis befohlen[13] ist, dieselbigen Dinge bis zum End zu bringen, und nit Schlacken und Eisen miteinander zu schmieden. Denn merket ein Exempel: Brot ist uns geschaffen und gegeben von Gott; aber nit, wie es vom Bäcker kommt. Sondern die drei vulcani, der Bauer, der Müller und der Bäck, die machen Brot daraus. Also muß es auch mit der Arznei geschehen, darzu auch mit dem innern vulcano desgleichen. Darum soll sich der Arzt der alchimia nit beschämen; nichts anders in der Alchimei suchen, als wie ich gesagt hab. Wo solchs nit geschieht, so ist er kein Doktor, so ist er ein gedokterter Bachant; gleich ein Doktor, wie ein Bild im Spiegel ein Mensch ist.

10. taugen.   11. von Montpellier (auf die dort gelehrte scholastische Medizin bezüglich).   12. Geschwätz.   13. anvertraut, überlassen.

*Von dem Buch der Arznei, so experientia heißt, wie der Arzt
dasselbig erfahren soll.*

So nun der Arzt in der Experienz erfahren sollt sein —
und die Medizin ist nichts als ein große gewisse Erfahrenheit: nämlich daß alles, so der tut, in der Experienz steht. Und das ist experientia, was da recht
und wahrhaft erfunden[1] wird. Und welcher sein Sache
nit mit der Experienz gelernet hat und mit der Wahrheit, die in ihr ist, derselbig ist ein zweifelhafter Arzt.
Und was die Experienz, die wie ein Richter ist, bewährt oder nit bewährt, das soll angenommen oder nit
werden. Darum so soll dieselbig Experienz mit der
scientia laufen. Denn ohn scientia ist experientia nichts.
Ob gleichwohl ein Experiment[2] einmal gefunden wird
in der Experienz und ist bestanden: ist es mit der
scientia in die experientiam geführt worden, so wird
es verstanden, weiter zu gebrauchen; aber wo ohn
scientia, so ist weiter dasselbig ein Experiment ohn
scientia. Denn da scheiden sich voneinander experimentum und experientia, daß experimentum ad sortem geht
ohn scientia, aber experientia mit der Gewißheit, wohin zu gebrauchen mit der scientia. Denn scientia ist
die Mutter der Experienz und ohn die scientia ist nichts
da. Ob gleichwohl scammonea[3] purgiert[4], ist ein Experiment; sophia[5] heilt den Bruch an Beinen[6] und
rupturam, ist experimentum; Saphir heilt anthracem[7],
ist ein Experiment. Nun aber, ob das wohl experimenta
sind und mit der experientia erfunden[8], so zwingt doch
pluralitas morborum, daß da muß scientia sein, wo die
zu gebrauchen. Denn kein Krankheit ist, die allein auf

1. befunden.   2. zufälliges, planloses Probieren.   3. Convolvulus
scammonia (eine Windenart).   4. abführen.   5. Sophienkraut (Si-
symbrium sophia).   6. Knochen.   7. Geschwür.   8. gefunden,
entdeckt.

einem steht und sei. Darum so ist nicht experimentum zu gebrauchen.

So das nun muß sein, ein Unterschied zu gebrauchen und zu halten, da muß scientia mitlaufen. Und das versteht durch dies Exempel: ein Birnbaum, der da Frucht trägt, der muß dasselbig aus der scientia tun. Nun ist ihm die scientia geben von Gott, also daß er durch die scientiam Blüte trägt, Blätter macht und Birnen formiert. Das ist nun ein große Kunst, daß in einem Holz solche scientia sein soll. Denn wenn nur ein Mensch wollt etwas malen oder schreiben, so muß es durch die experientiam geschehen und durch experimentum. Das Holz hat das von Natur in ihm, und in der Natur ist es ein Baum, ein solche scientia verborgen in ihr. Daß sie aber das also tut, das sehen wir. Das ist jetzt bei uns allein experimentum, daß wir's wissen; die scientia ist nit bei uns, allein experimentum, daß wir's erfahren haben, daß's also ist; und das beweist sich durch die Experienz und ist auch experientia. Aber der Baum hat die experientiam. Also merket auch dies Exempel: scammonea purgiert; das tut sie cum scientia, die ihr Gott geben hat, und was sie purgieren soll, und wie. So du nun der scammonea ihr scientiam ablernest, also daß's in dir ist wie in der scammonea, so hast du experientiam cum scientia, und experimentum nit. So du aber der scammonea Art und Wesen nit weißt in allen Eigenschaften, so hast du experimentum ohn scientia. Allein daß sie scheißen macht, das weißt du jetzt; hast von ihr nicht mehr als von einem Wort, das du nicht weißt, was's ist. Als: du bist französisch und hörtest deutsch — du weißt wohl, daß's deutsch ist, aber nicht, was es ist.

Und weiter merket von der Experienz: *das* beweisen die Augen, dennoch ist aber der Verstand nit da. Denn die Augen zeigen experimentum an, aber nicht experientiam. Denn sie sehen experientiam nicht, welche also verstanden soll werden. Das wir sehen, daß's also ist, das beweisen die Augen. Also sollen wir auch wissen, so Gott dem Birnbaum solche scientiam geben hat und anderem Holz desgleichen, wieviel mehr einem Menschen geben wird, der nach Inhalt des ersten Buchs rechtschaffen studierte. Also muß scientia ein Einfluß[9] sein, denn sie ist verborgen in der Natur. Dennoch muß sie heraus; denn was in der Natur verborgen, wäre uns nichts nütz; und [es] wär das talentum verborgen. Das nit sein soll. Und nichts ist so heimlich, daß's nicht offenbar werde. Aus dem folgt nun, daß magica in seinen dreien methodis tiefe Heimlichkeit[10] offenbart. Das ist die Schul medicorum, philosophorum und astronomorum, auch anderer dergleichen. Denn also muß die scientia in dir sein, oder es ist alles ein leere Phantasei und Tollerei, daraus die Phantasten wachsen, große Subtilitäten, großes Spekulieren und mit nichten im Grund verfaßt, ein Irrgang, der nichts Guts ist.

Nun merket ein Unterschied zwischen der experientia und der scientia noch weiter, denn gemeld't ist. Scientia ist in dem, in dem sie Gott gegeben hat. Experientia ist ein Kundschaft[11] von dem, in dem scientia probiert[12] wird. Als der Birnbaum, der hat sein scientiam in ihm. Und wir, die seine Werk sehen, haben experientiam seiner scientia. Also geben wir Kundschaft[11] durch die Experienz, daß scientia perfecta im selbigen Baum sei. Also auf solchs zeig ich das sechst Buch an, daß in solcher Gestalt scientia in euch komme, und daß euch eure Kranken Kundschaft[11] geben durch euere Werk, so ihr in ihnen vollbracht habet, daß ihr perfectam scientiam habet. Also was vollkommen mit einem Wissen in rechter Ordnung der Natur geht, dasselbige ist scientia. Wo nun die nit ist, das ist allein experimentum oder experientia sine scientia. Ist's, daß einer sagt: „Tu [das], ich hab's oft versucht" — jetzt

9. näml. von oben herab, von Gott und dem Gestirn.   10. Geheimnisse.   11. Kundtun, Kenntnis, Bekanntschaft.   12. bewiesen.

bekennen sie, daß's experimentum ist. Durch die Versuchung[13] darfst du ihm nit vertrauen. Der aber hat experimentum mit der scientia, der darf ihnen vertrauen. Der spricht allein: „Also tu ihm, also wird's ergehen" — also werden die Frücht recht nach ihrer Art wachsen. Also ist ein Unterschied zwischen der scientia und experientia. Nicht, daß verstanden soll werden, daß experimentum experientia sei, sondern daß experientia sei, das aus der scientia gefunden, gelernet und gegeben wird. Also geht die Tür hinein, daß in uns scientia sei zu suchen. Nicht, daß das Experiment führe wie mit der scientia. Als: ich weiß, daß ein Büchse ein Mauer zerschießt; [das] ist experimentum. Nun scientia [ist]: wie sie gericht't wird, daß es also gewiß geschehe, und nicht *einmal* getroffen und zehnmal gefehlt; das ist scientia. Jetzt ist derselbig [ein] Meister der Büchsen, der scientiam hat und das Experiment. Da wird die scientia und experientia. Denn experientia hat scientiam. Und wo scientia ist, da wird vom Experiment nichts gered't oder gemeld't.

Und das soll ein jedlicher bei ihm selbst gedenken, daß Gott allen natürlichen Dingen Gaben geben hat. Dieselbig Gab ist scientia. So er nun den Bäumen, den Kräutern geben hat solche scientiam, daß sie auf ihr recht End kommen in aller Formierung der Form und der essentia: wieviel mehr begabt er dann ein Arzt, da er ihm so untertänig sein wird wie ein Blum im Feld, daß er seine Kranken gesund mach ihm zu Ehren, und daß sie von ihm fallen[14], wie ein zeitiger Birnbaum seine Birnen im Herbst fallen läßt. Und nit allein einem Arzt, sondern auch einem andern; wie die Apostel, von denen die Frücht fielen wie von einem vollen Baum. Gibt er's der Gilge[15] im Acker, wie viel mehr dem Menschen, der sein Bildnis ist? Nun ist ein jedliche Gabe von Gott vollkommen. Aus dem muß je genom-

13. auf Grund des bloßen Versuchs (Experimentierens) . . .   14. D. h. als geheilt entlassen.   15. Lilie.

men werden, wie ein jedlicher Baum sein Kraft von ihm nimmt. Aus dem folget nun, daß auch scientia vollkommen ist. Denn sie gehet aus Gott wie die Kraft im Weinstock. Jetzt hat's ein gewisse experientiam.

Also kann experientia nit experimentum sein. Denn die experimenta sind unvollkommen. Und wie dem Birnbaum sein scientia bleibt und wird nit dem Apfelbaum geben, auch den Schlehen und Dornen bleibt ihre scientia auch, also verstehet auch im Menschen, daß Gott einem jedlichen sein scientiam gegeben hat. Daraus denn folgt, daß ein jedlicher sein donum und scientiam auf das höchst bringen soll, und sie auf alchimistisch[16] in den höchsten Grad bringe. Das ist: der Baum muß groß Alchimei brauchen mit scientia, bis er kommt auf das Ende seiner Frucht. Also so nun der Mensch den Samen scientiae hat, so folgt aus dem, daß er ihn treiben muß, damit er komme auch in sein vollkommene Ernte und Herbst, daß sein Frücht von ihm fallen als von einem Baum. Denn da ist ein Unterschied im Wachsen und Scheiden puri vom impuro. Denn was zum Wachsen dient in die scientia, das scheidet nichts. Was aber erwachsen ist, dasselbig scheidet. Und also merkt, daß ein jedlicher sein besondere Art hat, das ist donum, in das er geboren wird. In demselbigen dono soll er sich fördern[17], daß er zu demselbigen End komme, und nit lerne von andern Kreaturen sein angeborne scientiam. Denn ihm ist sie allein gegeben, dem andern nit, von dem du lernen willst. Warum wollt denn der Birnbaum von der Schlehe lernen? Warum der Feigenbaum von Dornen? Warum wollt das Süß das Sauer fressen?

Also folgt nun das Buch scientiarum, daß wir die scientias erfahren, und daß's durch die Experienz bezeugt werde. Darum zeig ich das an, daß ich nit will, daß ihr allein den Birnbaum erkennen sollt; sondern

16. D. h., um einen Vergleich aus der Alchimie zu verwenden.
17. sich vorwärtsbewegen, eilen.

auch scientias rerum medicarum naturalium, was Gott für ein Scienz[18] geben hat den vitriolatis[19], durch welche scientiam Kranke gesund werden, daß also scientia vitriolata (durch die der vitriolum operiert) in euch selbst sei wie in vitriolo imaginative imprimiert[20]. Das ist impressio luminis naturae, und sind die radii, so sie in dich imprimiern. Ein Kranken gesund machen, ist scientia. Nun ist diese scientia nit im Arzt, sondern in der Arznei. Daraus dann folgt, daß der Arzt, dieweil er scientiam curandi nit hat, allein scientiam administrandi — so wird er gezwungen von wegen des Administrierens, daß er scientiam suchen muß in der Arznei, in der sie liegt. Also müssen die scientiae der Natur in dir sein wie in der Natur von der Kraft impressionis ex lumine naturae. Wo nicht, so ledelest[21] du hin und her und weißt nichts gewiß als deines Mauls Geschwätz.

Also sind die Bücher der Arznei etlichs Teils angezeigt, in welchen der Arzt seinen Grund nehmen soll und nit hinterm Ofen sitzen, Birnen braten und mit seiner sophistischen Logik seine Kranken abfertigen; und [daß du] dich befleißest, die nachfolgenden Bücher auch zu erkennen, damit du die Bücher der Arznei alle wohl in den Verstand bringest.

DAS SIEBENT KAPITEL

Vom Buch der natürlichen Apotheken und Ärzte.

Nun ist nit minder, alle äußerliche Erzeigungen der Natur sind auf's Innerliche geben, daß also die Natur auch inwendig im Menschen sei, wie auswendig unter

18. Wissen, Können. 19. Erze und Medikamente auf Sulfatgrundlage. 20. mit Hilfe der Vorstellungskraft (Imagination) eingeprägt. 21. schwankst.

den Menschen. Als ein Exempel: die Natur gibt ein Apotheke in die Welt. Also wie in einer Apotheke die Kräuter etc. versammlet und eingesammlet sind und da gefunden werden, und einer hat mehr denn der ander, anders denn der ander, also ist auch in der Welt ein natürliche Ordnung der Apotheken, also daß alle Wiesen und Matten, alle Berge und Bühel etc. Apotheken sind. Und dieselbigen Apotheken stellet und gibt uns die Natur. Von deren sollen wir die unsern füllen. Nun aber in der Natur ist die ganze Welt *ein* Apotheke und nit mehr denn mit *einem* Dach bedeckt. Nur *einer* führt den Mörsel, soweit die ganze Welt geht. Der Mensch aber hat's particulariter, nicht in toto; etwas und doch nicht alles. Denn die natürlich Apothek übertrifft die menschlichen.

Nun ist das Exempel gegeben darum, daß ihr sollet wissen, daß auch im Menschen dermaßen ist ein natürliche Apotheke, in der alle Dinge sind wie in der Welt, Guts und Bös von simplicibus und materialibus, wie sie denn genennet werden. Darauf nun so folgt, daß ein jedliche Apotheke ein Arzt hat. Denn die Natur hat in ihr ein Apotheke; und der [Arzt] ist derselbig, der sie gemacht hat. Nun so muß sie[1] auch ein Arzt haben. Derselbig soll also verstanden werden: wie die Natur ein Apotheke ist, und der Mensch aber macht ihm auch eine, etwas ihr nach – nun muß der Mensch in seiner Apotheke auch ein Arzt haben (und den hat er), der aus seiner Apotheke handelt. Also hat die Natur auch einen, der ihr Arznei verbraucht, ordiniert, dispensiert an die und die Örter, da man der Arznei notdürftig ist und dahin sie gehört. Der Apotheker, der ein Mensch ist, ist selbst sichtbar, und sein Arzt. Der Apotheker der Natur ist unsichtbar, auch ihr Arzt. Auf das nun folgt, daß im Menschen, als im microcosmo, solche Apotheke auch ist wie in der großen Welt; dazu auch ein solcher

1. näml. die Apotheke im Menschen.

Arzt wie in der großen Welt, der alle Arznei verschafft, ordiniert, dispensiert, appliziert, administriert etc.

Dieweil nun ein solchs die Natur fürstellet genugsam, also daß wir in *dem* Buch lernen sollen und von unser Phantasei nichts (denn es sind nur fliegende Geist, mehr bös denn gut) — so wisset nun, warum ein solche Apotheke und ein solcher Arzt von mir hie fürgelegt wird. Und ist die Ursach: alle Arznei sind geschaffen vonwegen der Kranken. Nun sind ihrer zwo: die eine äußerlich, die ander innerlich. Die äußerlich tut der Mensch selbst, die innerlich tut die Natur. Und das verstehet also: der Mensch ist mit allen Krankheiten beladen und ihnen allen unterworfen, so bald er von Mutterleib kommt und in Mutterleib. Und [es] wär nicht möglich, daß er könnte geboren werden mit dem Leben, mit der Gesundheit, so der inwendig Arzt nicht wäre. Nun wie er also voller Krankheiten ist und das in seiner Natur angeboren hat — wo nun Krankheiten sind, da sind auch Arznei und der Arzt. Also ist die Krankheit von Natur angeboren; von Natur hat er auch wider ein jedliche Krankheit Arznei. Und wie er hat den destructorem sanitatis von Natur, also hat er auch conservatorem sanitatis von Natur.

Jetzt folgt aus dem, daß der destructor für und für Destruktion, Korruption[2] wirket und handlet, den Menschen umzubringen. Also stark und emsig ist auch conservator naturae: was der ander zerbricht und zerbrechen will, das richt't der angeborne Arzt wieder auf und zu. Der da bricht, der hat Zeug im Leib, die ihm helfen brechen und damit er bricht; das find't er im microcosmo. Wie in der äußern Welt: da bricht der Maurer; der hat Zeug zum Brechen aus dem, in dem er ist. Der ander Maurer macht wieder[3], hat auch Zeug zum Aufrichten in der äußern Welt. Also haben beide, destructor und conservator, Zeug, zu brechen, und

2. Schädigung.   3. richtet wieder her.

Zeug, zu machen. Der eine zeucht die Zaunstecken aus, der ander steckt sie wieder ein. Also ist im Leib die höchst Kunst zum Zerbrechen, auch die höchst Kunst zum Wiedermachen. Denn ein Exempel: der destructor nimmt den realgar[4] im microcosmo und will den microcosmo vergiften. Wiederum nimmt der conservator flores antimonii[5], überwind't ihn. Also wird der Mensch krank und gesund. Also muß er täglich in ihm sein Wirkung haben, und den destructorem und conservatorem handlen und wirken lassen. Denn die zween gehen für und für gegen einander. Wie die äußer Welt handlet in ihrem Wesen, also auch im Menschen zu merken die Zänker und Frieder, Krieger und Ruhiger. Denn wo das Firmament ist und die Elemente, wie in microcosmo, da sind auch fürwahr Fried und Unfried. Also soll nun der Mensch wissen und verstehen, so Gott ihm sein natürlichen Arzt und sein natürlich Arznei, das ist Apotheke und Arzt, nit gegeben hätt und geschaffen, des äußern Arzts halben bliebe nichts beim Leben. Denn wird die Erde dürr von der Sonne, so empfängt sie ein Feuchte wieder vom Regen. Die Dürre ist ihr Krankheit, die Feuchte ihr Arznei. Das hat Gott äußerlich in der Welt geschaffen; also auch innerlich im Menschen die zwei Stück zu merken sind. Käme kein Regen in die Erde, es verdorrete alles; käme kein Regen in des Menschen solche Dürre, er verdorrete auch. Wiederum zu viel Regen ertränkt; also im Menschen: zu viel Regen ertränkt ihn. Die Sonne heilet den Regen, der Regen der Sonne Schaden. Die Sonn ist gut, ist auch nicht gut; der Regen ist gut und auch nicht gut, wie gemeld't ist. Also habt ihr den Ursprung der Konsumption des Menschen, die vielleicht phthisis, ethica etc. möcht geheißen werden[6];

4. Arsensulfid.   5. durch Sublimation verdampfte und wieder niedergeschlagene Teile von Antimonverbindungen.   6. ... die man schließlich vielleicht auch Phthisis oder Ethica (Namen für Schwindsucht) nennen mag.

auch den Ursprung des Zuvielregnens im Menschen, das vielleicht hydrops, hyposarca etc. möcht geheißen werden[7]. Also nach der Kürze, sind solche Exempel viel, aber in diesem Buch nicht beschieden[8] zu lernen. Also werden viel Wassersucht geheilt, viel Schwindsucht und viel andere Krankheiten, davon der Mensch nicht weiß, von dem er aus natürlicher, angeborner Arznei gesund wird. Denn Gott behüt't den Menschen in allweg vor dem Tod, ihm zu Erfrischung seines Lebens. Denn im langen Leben des Menschen hat Gott sein Wohlgefallen.

Damit ich aber euch nicht allein in der Gestalt berichte, als ob weiter kein Arznei oder Arzt mehr sei, ist nicht [in] *der* Meinung zu verstehen; sondern also: der Mensch ist zum Umfallen geboren. Nun hat er zween, die ihn aufheben, im Licht der Natur. Der inwendig Arzt mit der inwendigen Arznei, die sind mit ihm in der Empfängnis geboren und geben. Darnach so derselbig Arzt nimmer kann, und das Umfallen will geschehen, so nimmt der destructor zu und fährt für mit seinem Triumph. Der conservator zieht ab, dahin er dann prädestiniert ist. Wo nun solchs Abziehen ist in conservatore und Zunehmen in destructore, da soll der auswendig Arzt anfangen und den destructorem vertilgen und überwinden und in die Fußstapfen treten, darin der conservator angefangen; wo er aufhöret, an dem Ort anfangen. Alsdann so hat Gott dem destructori noch ein Überwinder gegeben, der dem destructori verborgen ist, und in demselbigen conservatori durch die Arznei, so Gott von der Erden geschaffen hat, seine Hilf verordnet, mit der er denselbigen überwinden kann. Aber der Arzt, der äußerlich ist, gehet erst an, wenn der angeborene erliegt, verzablet[9], ermüd't ist — so befiehlt[10] er sein Amt dem

7. . . . die man schließlich auch Hydrops oder Hyposarca (Namen für Wassersucht) nennen mag.   8. vorgesehen, geplant.   9. abgearbeitet.   10. überläßt, übergibt.

äußern. Und aber dieweil der Mensch je zum letzten fallen muß und den gesetzten terminum nicht kann überwinden, er muß hindurch, alsdann so siegt der Tod. Wider den ist kein Arznei, als allein *der* sei da, der den Tod hat überwunden, der die Toten auferweckt hat, oder diejenigen, denen er den Gewalt geben hat.

Nun sehet, wie der Mensch aus diesem Buch der großen Apotheke die particularischen richten soll, und der äußer Arzt nach dem gebornen Arzt sich anlassen. Und lernet in diesem Buch, wo der geboren Arzt aufhört, daß gleich im selbigen Rezept der äußer Arzt anfangen soll, und daß der Apotheker mit denselbigen simplicibus und compositis versorgt sei, mit denen das Rezept kompliert[11] soll und muß werden. Wo da gefehlt wird, in welchen es ist, oder diskordiert, oder es wird vom Arzt anders ins Haus gestiegen denn zu der Tür hinein[12], und der Apotheker wird legen quid pro quo[13], da ist forthin Mühe und Arbeit[14], labor und dolor.

Das acht Kapitel

Vom Buch der theorica medica, wie die genommen soll werden.

Damit ihr den Grund recht verstehet, wo ihr die theoricam nehmen sollt, so in die Arznei gehört, merket am ersten ein Exempel. Wo nimmt sich theologia, das ist: wo lernet sie, ihr theorica? Nämlich aus Gott! Darum redet und theoriziert sie von Gott. Was sie nun in Gott findet und in ihm hat und aus ihm nimmt, das ist die Theologei, practica und theorica mitein-

11. erfüllt, ausgeführt.   12. Vgl. Joh. 10, 1 f.   13. eine Sache für eine andere (Titel eines Buches von Ersatzrezepten).   14. Beschwerlichkeit.

ander. Denn sie werden nit geschieden. Also merket nun auch, wo ist die Arznei? Nämlich in der Natur! Wo ist nun die Krankheit? Nämlich im Patienten! Nun folget jetzt aus dem, daß aus den zweien die theorica medica geht. Und ihr sind zwo: Die eine theorica essentia curae, die ander theorica essentia causae. Und aus den beiden muß ein theorica werden und nit zwo sein.

Nun aber wie die theorica gefunden soll werden, also daß sie kann mit Feder und Tinte geschrieben werden, dasselbig sollt ihr also erkennen. Am ersten so muß ein jedlicher medicus theoricus aus Gott reden. Denn aller Anfang ist aus ihm, und er ist alles in allen. Und wie die Geschrift sagt: „Ein jedliche vollkommene Gab geht von Gott" — so ist nun theorica auch von Gott. Denn es sagt die Geschrift, daß er den Arzt geschaffen hat und die Arznei von der Erden. Nun sind diese Ding vollkommen. Darum so sind auch vollkommen der Arzt und die Arznei. Dazu auch so bedürfen die Kranken eines Arzts. Bedürfen sie eines Arzts, so muß er vollkommen sein, sonst kann er doch nichts erschießen[1]. Nun so er will ein theoricus sein, so ist vonnöten, daß er aus dem bemeld'ten Buch lerne, die theoricam zu führen. Erstlich aus Gott, der soll alle Lefzen[2] auftun und soll uns helfen in dem, das wir tun in seinem Namen; und ohn ihn ist es alles nichts. Danach die andern Bücher, so angezeigt sind, alle wohl erforschen und ergründen, und nichts reden, als was aus ihnen gelernet wird.

So sind die theorica causae und curae beieinander und miteinander verschlossen. Und was aus *den* Büchern gehet und theoriziert wird, das ist ganz und vollkommen. Denn dieselbigen Bücher sind auch ganz und vollkommen. Denn Gott hat sie selbst geschrieben, gemacht, eingebunden und an die Ketten in sein Liberei gehängt[3]. Darum ist kein Falsch in ihnen, kein Betrug,

1. ersprießlich sein, nützen.   2. Lippen.   3. Anspielung auf die alten Bibliotheken, deren Bände im Lesesaal diebessicher angekettet wurden.

kein Irrsal, kein Fehl, kein Verführung. Und ob gleichwohl etwas von ihnen in das Papier geschrieben wird, gesetzt und getragen, wie es denn wohl sein mag, so muß das Licht der Natur die Istruktion geben, und der Mensch nit. Als ein Exempel: wir haben das ewig Leben, beschrieben im Evangelio und in der Geschrift mit aller Notdurft; mehr ist nicht not. Nun ob gleichwohl das ewig Leben in der Geschrift auf dem Papier ist — es ist noch nit genug, daß es also im selbigen bleib, wie es im Papier ist. Sondern es muß weiter gesucht werden; nämlich von dem und durch den, von wem es ist gehört worden, erfahrn und geben, zu schreiben in das Papier. Was nun im Papier angezeigt wird, ist nur ein Buchstabe. Was er aber vermag und was er uns lehrt und warum er da steht, das muß von oben herab gelehrt werden und erleucht't. Also mit der theorica auch und practica der Arznei zu verstehen ist. Wiewohl sie ins Papier des Buches gebracht kann werden, so ist es doch ein toter Buchstabe. Aber aus dem Licht der Natur muß die Illumination[4] kommen, daß der textus libri naturae verstanden werde; ohn welch Eluzidierung kein philosophus, noch naturalis sein mag. Darum so soll sich keiner verlassen allein auf das Papier, sondern auf die Illumination, die da ausgehet von dem, der selbst das Licht ist, und mit unsern Doktrinen, Phantaseien, Spekulieren abstehen und weichen.

Damit auch verstanden werd, was theorica sei medicae religionis[5]: sie ist die, die da behält und anzeiget mit ungezweifelter Wahrheit Herkommen, Ursprung, Materie, causas, Eigenschaft, Wesen und alle Anfäng, Mittel[6] und Ende einer jedlichen Krankheit. Dazu auch ihr Heilung, in was Weg dieselbige geschehen soll; auch womit und wie und was alle Irrung. Zu gleicher Weis als einer, der ein Samen säet: kennet er den Samen, er weiß wahrhaftig, was aus ihm wachsen und

4. Erleuchtung.   5. Aufgabengebiet, Pflichtenkreis.   6. mittleres Stadium.

kommen wird. Pflanzet einer ein Zweig und kennt das, so wird er wissen, was aus ihm wird und was seine Frücht sind. Das ist theorica rustica oder theorica de plantis. Darum auch so in solcher Gleichnis einem ein Wunde gehauen wird, da weiß männiglich wohl, wie ihm die gehauen ist. Das ist nun chirurgica theorica. Weiter was ihr zu wird stohn ohn Arznei, item mit der Arznei, das ist auch theorica chirurgica. Item wie sie zu heilen ist, was man nehmen soll, auch wie damit umzugehen, das ist theorica practica chirurgica. Also weiter, wie die verstanden wird, soll allen Krankheiten dermaßen ihr Grund gelegt werden; und wie vom Samen angezeigt ist, nach demselbigen theoriziert. Denn ein jedliche Krankheit ist von einem Samen da. Und so sie erwachsen ist, so ist sie im Baum und mit ihren Früchten. Das Schwert ist der Samen seiner Wunde. Also wisset, daß alle Dinge vom Samen sind. Und aus dem folgt, daß der Arzt die semina omnium morborum erkennen soll und verstehen, alsdann so kann er von ihnen theorizern wie ein Bauer von seinem Acker, den er gesäet hat. Und wenn der Arzt nicht so ring[7] und leicht solches, wie der Bauer sein theoricam hat, weiß, so gehet er in ein großen Irrgang, verführt sich selbs und andere.

Es ist nicht minder, es haben viel geschrieben von dem Ursprung der Krankheiten und haben viel Nachfolger. Aber von Anfang ist es nichts wert. Was aber die Zeit betrifft, das ist also; denn der Mund der Kranken beweist es und die Augen sehen's, die Ohren hören's. Aber von Anfang und Herkommen — das ist die Irrsal und Verführung. Allein es sei denn, daß vom Samen theoriziert wird und die humores[8] verlassen, sonst ist alles umsonst. Sind's humores, so sind sie doch nur von der Krankheit worden, und die Krankheit nit von ihnen. Und darum, daß sie prädominieren, so

7. einfach.   8. die vier Haupt-Körpersäfte als Krankheitsursachen in der „Humoralmedizin".

sollen sie causae morbi sein? Als ein Exempel. Ich setz,
es fiel einer in fluxum ventris und hätt viel Stuhlgehen,
die wären fast gelb und dergleichen. So du's siehst, so
sagst du: „Cholera hat's gemacht, die cholera tut's" —
und vergissest, daß ein Samen da ist und einmal aufgewachsen in solche materiam. Und der Same ist aus ihm
selbst umgefallen in die Galle und treibt die Gall. Und
[es] ist nit die Galle, sondern die Farbe von ihr und
die materia vom Samen. Gleichwie ein Wein, der nach
der Erden schmeckt, ist darum [doch] nicht von der
Erden, sondern von Trauben, die Traub vom Holz,
das Holz von seiner Wurz, die Wurz von ihrem Samen. Nun wo ist cholera oder humor melancholicus?
Oder einer ist hydropicus; sagt, die Leber sei ihm er-
kaltet etc., und also sind sie geneigt zur Wassersucht.
Solche rationes sind viel zu wenig. So du aber sagest:
„Es ist ein meteorisch semen, der wird zu einem Regen,
der Regen stilliert[9] von oben herab aus den mediis
interstitiis in die untern Teile, und wird also aus dem
Samen ein Wasser, ein Teich, ein See" — so hättst du
es troffen. Denn wie ihr sehet ein lautern, schönen
Himmel, in dem kein Gewölk ist — gleich in einem
Augenblick so erhebt sich ein kleines Wölklein, das
wächst auf und nimmt zu, daß in einer Stund ein großer Regen, Hagel, Schauer etc. daraus wird.

Also müssen wir theoriziern von dem Grund der
Medizin in der Krankheit, wie gemeld't ist. Und der
also theoriziern will, der muß die Bücher der Arznei
wohl lesen, nit Tantalorum[10], Galeni, Avicennae, Aver-
rois, Drusiani[11], Guidonis[12], Rogeri[13] etc., sondern die
Bücher, so Gott selbst geschrieben hat. Die sind recht,
ganz, vollkommen und ohn Falsch. Selig ist der Arzt,

9. tropft.   10. Sammelbezeichnung für die folgenden humoralmedi-
zinischen Ärzte, abgeleitet vom Hadesbüßer Tantalus.   11. Trusianus
(Pietro Torrigiano), geb. vor 1350, italien. Galen-Kommentator.
12. Guido von Chauliac, geb. vor 1370, franz. Chirurg.   13. Roger
von Salerno, um 1170, italien. Chirurg.

der nun im selbigen wandelt und gehet! Denn er wandelt im Licht und nicht in der Finsternis. Nicht allein, daß die Medizin so hart in solche Bücher gebunden sei, wie ich gemeld't hab, sondern auch die Theologei ihre Bücher in Gott hat, die er selbst geschrieben hat, aus denen sich die theologia behilft und die theologi, und sonst auch weiter kein ander Grund nit ist, als was in selbigen Büchern [ist], so aus Gottes Mund gangen sind. Auch der Jurist sich dermaßen in den Büchern, so aus Gottes Mund gangen sind, sein iustitiam nehmen und lernen muß, und nicht von ihm selbst. Darzu auch was nicht in dasselbig Buch gehet, das gehet in das Gesetz der Natur. Darum so müssen dieselbigen aus dem Licht der Natur ihre Bücher auch nehmen; und was die Natur, auch was das Göttlich betrifft, aus ihnen beiden nehmen und nicht von ihnen selbst. Also bleibt Gott in allen Dingen der oberste Skribent, der erste, der höchste und unser aller Text. Und wiewohl die Glosse, die da soll ausgehen aus demselbigen, den er uns gesandt hat am Pfingsttag – nicht daß derselbig allein ein Apostel sei, ein theologus, sondern es stehet in der Geschrift: „Der wird uns recht alle Dinge lehren, unter dem alle Dinge sind“[14], auch die Arznei, die Philosophei, die Astronomei damit begriffen[15]. Aus dem wir alle lernen dieselbigen Händel, und ohn ihn ist es alles tot und ohn Verstand.

14. Joh. 14, 26.   15. einbegriffen, mitgemeint.

*Vom Buch, wie die Kunst medicina gefunden soll werden
nicht durch Spekulation, sondern durch gewisse Offenbarung.*

Soll nun die Arznei einen gewissen Grund haben, der
nicht aus dem Kopf gehet in Erdichtung (sondern er
soll gehen durch ein wahrhaftigs Anzeigen und Lehren),
so sollet ihr anfänglich wissen, daß die Krankheiten
verborgen sind, auch die Arznei. Und nichts ist unter
denen zweien, das durch den irdischen [Leib] muß
getan, noch erfunden[1] werden; sondern es muß durch
das sidereum corpus geschehen, daß derselbig sieht in die
Natur, wie die Sonn durch ein Glas. Nun ist jetzt weiter
zu wissen, in was Weg die verborgen Dinge gefunden
werden, die dem irdischen Leib nit sichtbar sind. So
folgt nun auf das, daß die Dinge alle durch magicam
offenbar werden und durch ihr species, als durch
cabbaliam und cabbalisticam etc. Dieselben sind, die
da offenbaren alle Heimlichkeit in verborgner Natur.
Und ist vonnöten und billig, daß ein Arzt in derselbigen unterricht't und bekannt sei. Wo nit, so ist er
ein Irrender und ein Gutwöller in der Arznei, der mehr
zum Betrug gericht't ist denn zur Wahrheit. Das beweist sich an ihm selbst. Denn magica ist anatomia
medicinae. Zu gleicher Weis wie ein Metzger ein Ochsen zerlegt, und man sieht alles, das in ihm ist und wie
er ist, das durch die Haut nit kann gesehen werden —
also zerlegt die magica alle corpora der Arznei, in
denen die remedia sind, was in demselbigen corpus ist.

Denn wie ein Mensch, der seine Glieder in ihm hat,
an *dem* Ort also, in dem andern also, wie dann physica
anatomia anzeigt — also sind in den Kräutern auch
Glieder. *Das* ist ein Herz, *das* ist ein Leber, *das* ist ein
Milz etc., nach Inhalt des Menschen. Daß alle Herz

1. entdeckt, aufgespürt.

ein Herz sei, den Augen sichtbar, ist nicht; sonder es ist
ein Kraft und ein Tugend[2], dem Herzen gleich. Als ein
Exempel: im Wind sind viel Eigenschaften; er trocknet,
und niemand sieht, das da trocknet. Die Sonn wärmet,
niemand sieht, was da wärmet. Aus dem Kiesling[3] gehet Feuer, und niemand sieht das Feuer im Kiesling.
Also nun sind in *einem* corpus vielerlei Glieder; [und
doch] sind [sie] nur *ein* Leib. Das nur *ein* Kraut ist,
und aber allerlei Tugenden in ihm. Als im Firmament,
da sind die sieben Glieder wie in einem Menschen: das
Herz, Nieren, Magen, Lungen etc. Nit als greifliche
Glieder, sondern als Kräft und Tugenden, ohn ein
corpus; wie denn im Menschen gefunden wird, ohn ein
corpus nichts zu sein. Also ist auch in der lunatica[4]
der Lauf des ganzen Monds, nit sichtbar, aber in spiritu. Denn in spiritu liegt die Arznei, und nit im Leib.
Denn Leib und spiritus sind zweierlei. Der Leib ist
nicht der spiritus, das ist: die Hilf der Ärzten. Also
auch in carabe[5] sind auch membra microcosmi, das ist
solche virtutes, nicht in corpore, aber in remediis, das
ist in spiritualibus.

Dieweil nun die Hilf der Kranken dermaßen ein
spiritus ist und liegt verborgen vor dem elementi-
schen Leib, und allein dem siderischen[6] offenbar —
jetzt folgt nun, daß magica zu lehren hat, und nit der
Avicenna, noch Galenos. Und allein die magica ist
praeceptor, Schulmeister und paedagogus, zu finden
und zu lehren die Arznei, die Hilf der Kranken, und
dasselbig sichtbar. Wie denn der elementisch Leib, die
Buchstaben sichtbar sind, oder den Augen ein jedliche
Form, Farb oder Figur, also sichtbar wird auch das
Wesen in denselbigen, und also erkenntlich[7] wie die

2. Eigenschaft, Anlage.   3. Kieselstein.   4. Mondsucht (eine auf
Mondeinfluß zurückgeführte Geisteskrankheit), falls nicht „lunaria"
(= Mondviole) zu lesen ist, was sinnvoller wäre.   5. weißer Bernstein
(als Medikament pulverisiert).   6. d. h. dem geistigen, unkörperlichen,
der seinen Ursprung im Gestirn hat.   7. erkennbar.

Formen den irdischen Augen. Viel hab ich gedacht und gemeld't [von] der magica, und noch öftermals [von] der Erfindung[8] der Heimlichkeit[9] der Natur in diesen Büchern, auch in andern. Darum sollt ihr das wissen nach der Kürze, daß dies Buch magica inventrix bei einem jedlichen Arzt soll wohl gelernet werden. Ob alsdann alle Bücher verdürben und stürben und alle Arznei mit ihnen, so ist doch noch nichts verloren. Denn das Buch inventrix findt's alles wieder, und noch mehr darzu. Das ist ein anatomia der Kunst. Nit daß die Glieder der Hölzer, der Kräuter, der Rüben gesehen werden, wie sie inwendig sind; sondern da werden gesehen die Kräft und Tugenden[10], als wenn man einen Menschen anatomiert, in dem alle Glieder gefunden werden, und gar zersotten und noch mehr gefunden. Solche anatomia der Künsten Findung zeigt erstmal an das signatum.

Nun aber was das signatum ist, das da signiert hat[11], dasselbig zeigt an cabbalia, ein species magicae, das da ist ein membrum astronomiae. Nun ist die Kunst inventrix nit allein in *ein* Weg zu verstehen, sondern in allen speciebus der Astronomei und der donorum[12] etc. Aber wie dem allen ist, daß dieser membrorum viel sind, auch der specierum noch viel mehr, und sie alle sind inventrices magicae und expositores anatomiae scientiarum, artium, medicaminum — aus dem folgt nun, daß dieselbigen membra und species sichtbar müssen werden in der Operation der Astronomei, der Erfindung[13]. Als das Feuer von der Sonnen wird sichtbar durch den Kristall, das Feuer im Kiesling[14] wird sichtbar durch den Stahl — also muß sol magicus sichtbar werden durch cristallum magicum, das ignis magicus sichtbar durch den chalybem[15] magicum. Jetzt so brennt die Anatomei und zeigt, was da ist, daß man's

---

8. Auffindung, Entdeckung.   9. Geheimnisse.   10. Eigenschaften, Anlagen.   11. das äußerliche Kennzeichen trägt.   12. Begabungen. 13. Entdeckung, Auffindung.   14. Kieselstein   15. Stahl.

so sichtbar sehen kann, was im selbigen corpus ist, als sichtbar das Feuer von der Sonne im Holz, vom Kiesling[14] im Holz. Denn da wird das lignum magicum auch angezünd't, das sind die arcana herbarum, werden brennen wie Holz und zeigen sein Kraft, wozu dasselbig gut ist.

Wie viel Mühe und Arbeit hat der mille artifex[16] gebraucht, daß er diese Anatomei dem Menschen aus dem Gedächtnis brächt, auf daß er der edlen Kunst vergesse; und [er] hat ihn gefördert in die Schwärmerei und in die andern Gugelfuhr[17], in denen kein Kunst ist und [die] also die Zeit auf Erden unnützlich verzehren. Denn der nichts weiß, dem liebt[18] nichts; der nichts kann, der verstehet nichts; der nindert zu[19] gut ist, der soll[20] nichts. Der aber verstehet, der liebt's, der merkt's, der sieht's.

Von den Begierden hat uns der mille artifex geführt. Denn ihm ist wohl wissend, so der Mensch ein Wissen von solchen Heimlichkeiten[21] hätte, daß er sich vom Bauch nit verführen ließ, sondern hing an dem Schatz. So aber der Mensch das nit wüßte, so hängt er an dem, das er weiß: dem Saufen, dem Huren, dem Spielen, dem Kriegen, der Faulheit etc. Denn das ist einmal wahr: der Gott nicht erkennt, der liebt ihn nicht; er weißt nichts von ihm. Der die Trinität nicht weißt, der glaubt sie nit, darum liebet er sie nit. Der Mariam nit kennt, der liebt sie nit. Der die Heiligen nit kennt, der liebt sie nit. Der die Natur nit kennt, der liebt sie nicht. Derselbig, der also nichts erkennt, der sieht nichts bei demselbigen, veracht' sie. Sein Bauch ist sein Gott. Je mehr aber die Erkenntnis ist in einem Ding, je mehr die Lieb. Der den Armen nit verstehet noch erkennt, der liebt ihn nit. Alle Dinge liegen in Erkenntnis. Aus derselbigen fließen alsdann die

---

16. Tausendkünstler, d. h. der Böse, der Teufel.   17. Unsinn, Posse.
18. gefällt.   19. zu nichts („nirgends wozu").   20. taugt.   21. Geheimnissen.

Frücht gegen denselbigen. Die Erkenntnis gibt den Glauben. Denn der Gott erkennt, der glaubt in ihn. Der ihn nicht erkennt, glaubt in ihn nicht. Ein jedlicher glaubt, wie er [er]kennt. Also in der Arznei auch: ein jedlicher tut, soviel er [er]kennt in der Natur. Der nichts erkennt, tut nichts. Was er tut, das malet er ab, wie ein Maler ein Bild abkonterfeit. In dem ist nun kein Leben, also in demselbigen Arzt auch [nicht].

Darum zu wissen in den Dingen allen, wiewohl ich vielerlei Meldung tu und getan hab in vielen Enden, wie die Künst sichtbar sollen werden gemacht — hat mich gut gedeucht, dieselbigen Meldung hie besser zu verstehen zu geben. Nämlich, daß inventrix ein species magicae ist, genommen aus allen speciebus der Astronomei. Und wie die magi von Orient durch diese inventricem gefunden haben Christum im Sterne, wie das Feuer im Kiesling gefunden wird, also werden auch gefunden die Künst der Natur, die leichter zu sehen ist, dann Christus zu suchen gewesen ist. Und so Christus von Weite ersucht[22] ist worden von den Königen aus Saba und Tharsis, so wird der Schatz der Natur viel näher gefunden. Von Orient aber gehen alle Anfäng der magicae, und von septentrione geht nichts Guts. Darum ihr Ärzt, wollt ihr Ärzt sein, so seid's rechtschaffen, nit wie die Säue im Acker mit den Rüben umgehen. Und ihr sollet umgehen mit dem Menschen, der Gottes Kreatur ist, wie Gott dem Arzt sein Bücher gemacht hat, also zu wandlen und handlen.

22. aufgesucht.

Von dem Buch, wie die Arznei kommt von der prima materia in ultimam materiam.

Ein jedlich Ding, das da wächst, das ist ohn Form in seiner ersten materia, und ist als viel als nichts. Als ein Exempel: ein Buche, ein Tanne, ein Eiche ist erstlich ein Sam, in dem gar nichts ist, das es sein soll. Nun aber so er gesetzt wird in die Erden, so muß er am ersten faulen, sonst wird gar nichts daraus. So er nun faulet, so zerbricht er sich gar. Und bevor er ein Samen war, da war er etwas; so er aber faulet, so ist er nichts mehr. Nun aber aus dem, das da faulet, folgt hernach, daß diese Faulung ist prima materia. Die geht jetzt in das Gewächs, und da wird gegeben die Form desselbigen Baums. Erstlich in der Erden empfängt es sein Anfang, darnach ober der Erden den andern Anfang. Und ober der Erden teilet es sich in etliche Gestalt, so lang, bis daß es wird, was es am letzten sein soll. Und [es] wird nicht auf einmal geboren mit Form, mit allem auf der Erden, so bald es daraufkommt; wie ein Kind, das wird mit ganzer Form geboren, die Gewächse aber nit. Wie aber auf der Erden die Gewächse erscheinen und von einer Form in die ander kommen, also sollet ihr auch wissen, daß das Kind in seinem Mutterleib dermaßen auch aufgehet.

Nun wie jetzt die Form aufgehet, also ist auch ein Aufgehen der Arznei in derselbigen, damit dasselbig Kraut oder Baum begabt ist. Nit, daß die vollkommen Form da sei; sondern allein in vollkommener Form wächst sie auf und wird perfekt. Denn die Form teilet sich aus in das Alter wie der Mensch. Am ersten ist er ein Wiegenkind. Also auch die Formen des Gewächs am ersten dermaßen sind. Darnach wird es ein Kind, zu laufen oder gehen, aber zu nichts gebrauchsam. Also ist's auch mit den Formen und mit der Arznei. Weiter so wird das Kind je länger, je mehr verständiger etc. Also werden auch die Gewächse forthin je länger, je kräftiger, und je länger, je stärker in ihren Tugenden[1] und Formen bis auf sein Zeit. Alsdann so gehet an das Alter und Schwäche, mit demselbigen in das Abnehmen, wie zum Anfang in das Aufnehmen. Also wird nun die Arznei auch verstanden, daß sie dermaßen ihre gradus hat, wie die Kraft ist, wann in der Stärke und wann in der Schwäche.

So wisset nun weiter! Ihr sehet, daß alle corpora formas haben, in denen sie stehen. Also haben auch formas all ihr Arzneien, so in ihnen sind. Die ein ist visibilis, die ander invisibilis; das ist: die eine corporalisch, elementisch, die ander spiritalisch, siderisch. Auf das folgt nun, daß ein jedlicher Arzt sein herbarium spiritualem sidereum haben soll, auf daß er wisse, wie dieselbig Arznei in der Form stehe, als die Exempel ausweisen. Ein Arznei, die da eingenommen wird spiritualiter in ihrer essentia — so bald sie in den Leib kommt, so steht sie in[2] ihrer Form, zu gleicher Weis wie ein Regenbogen im Himmel, ein Bild oder Form im Spiegel. Also hat sie ein Form der Füße, stehet sie in die Füß; hat sie ein Form der Hände, so stehet sie in die Hände. Also mit dem Kopf, Rücken, Bauch, Herz, Milz, Leber etc. Solchs merket noch klärlicher. Es wär ein Wurzen, die in ihrem siderischen corpus innehätt alle corpora der Menschen. Wird sie nun eingenommen, so stehet sie im Menschen mit einem jedlichen Glied im selbigen Glied. Nun folgt aus dem, daß die specula pennarum[3] heilen die Brust der Frauen, so sie getrunken werden. Denn Ursach: ihr Formen sind mamillae und ubera. Dahin stehet jetzt der Arznei Bildnis in sein Glied, in das es gehört. Also heilet dactiletus[4] den Krebs, so er getrunken wird. Denn sein Bild im Leib

---

1. Kräfte, Wirkmächtigkeiten.   2. bezieht sie sich auf, tritt sie zu.
3. wohl „Spiegel" auf den Pfauenfedern (früher magisches Heilmittel).
4. Herbstzeitlose (Colchicum variegetum)?

stellt sich an denselbigen Ort, dahin sein Form gehört.

Denn das sollet ihr wissen, daß alle chirurgikalischen Krankheiten durch physikalisch Arznei können geheilt werden, so der physicus anatomiam essentiae weiß und versteht, deren ich wenig gesehen hab. Das aber hab ich viel gesehen, daß sie sagen von den dirigentibus, directoriis[5], das ist: von dem Zusatz, der die Arznei führen soll an ihr Statt. Das doch gar kein Grund auf ihm hat. Denn sie sagen, daß salvia[6], lavendula, maiorana sind ducentia zum Haupt. Das soll auch desselben Arznei mit hinauf führen, zu gleicher Weis wie ein Geleitsbote ein andern über Land führet, der den Weg nit weiß. Das ist aber nit arzneiisch. Denn nit also soll die Arznei gehen, sondern sie führet sich selbst durch Kraft ihrer Bildnis. Als ein Exempel: euphrasia[7] hat in ihr die Form und Bildnis der Augen; daraus folget nun, so sie eingenommen wird, so stellet sie sich in ihr Glied und in die Form des Glieds, also daß euphrasia ein ganz Aug wird. Welche Arznei ist nun, die da könnte ein andere zu den Augen und in das Aug führen dermaßen und stellen? Alle Glieder der Menschen haben ihr Form dermaßen in den wachsenden Dingen, auch in Gesteinen, auch in Metallen und mineralibus etc. Und welches corpus ein essentia ist, da ist doch dieselbig Bildnis. So dasselbig eingenommen wird, so stehet die Natur microcosmi, dieselbig Bildnis, im Menschen. Also kommt die Arznei an ihr Statt, da sie hingehört. Denn wie ein Schnitzer nimmt ein Holz, das kein Form hat, und aber es sei viel oder wenig, so schnitzt er aus demselbigen ein Form bis auf sein End — also sollet ihr auch wissen, daß die Natur ein solcher Schnitzer ist, ein jedlichs corpus in sein Form zu bereiten. Ein Speis, die da gegessen wird, die ist ein Form im Mund, die Natur aber in ihren alchimischen Kräften.

---

5. Hilfsmedikament, das die Hauptmedikamente an die gewünschten Körperteile leitet. 6. Salbei (Salvia officinalis). 7. Augentrost (Euphrasia spec.).

Nun müssen alle Glieder im Menschen geführt werden wie aber da. Die recht physica und das recht Licht der Natur beweist das, daß die Speis, so sie in ihr essentias kommen ist, in ihr Form geht, und steht wie ein Bild im ganzen Leib, ein jedlichs an den Ort, da es sein soll: das ist homo cibi, also das Trank auch. So kommt es in seinen spiritum, so steht der spiritus vini wie ein Mensch im Menschen in allen Gliedern. Denn das sind formae perfectae in allen Gliedern, und in keinem gar nichts ausgenommen. Also mit der Aznei auch: wo nun der Gebresten liegt, da hat die Arznei ihre Form und ihr Wesen und Eigenschaft.

Das ist nun die Kunst, daß homo spiritalis, essentialis, medicinalis an dem erkannt wird, in dem da liegt dieselbig cura. Denn es ist homo cancri[8], homo lupi[9], homo guttae[10], homo pestis, homo febris, homo hydropisis[11], homo profluvii[12], homo menstrui, homo vermium etc. in allen Krankheiten. Wo das ein Arzt nit weiß, wo dieser homo sidereus in elementatis corporibus liegt, so ist es alles wider die Ordnung der Arznei. Denn wer ist der, der allemal ein Geleitsboten hab in einem jedlichen Glied? Als stulentina[13] getrunken, heilet paneritium[14], darum daß sein Bildnis an dem Ort curam hat. Wer ist der ductor in der Arznei, der solche curam dirigiert, in den Finger hinführ? Darum nit ducentia[15], sondern formae! Die sollen Leiter werden und durch das dirigiern, das die Bildnis von ihr selbst gibt; [das] soll das ducens sein. Aber der ander Prozeß ist gut väterisch, gut faul, bedarf wenig Kunst, wenig Arbeit. [Sie] lesen's aus dem Papier, klauben's nit aus dem rechten Buch der Kunst.

Denn also soll die Arznei verstanden werden in ihrer

8. Krebskrankheit.   9. fressendes Geschwür.   10. Schlag, Apoplexie (in der Sichtweise der Humoralmedizin).   11. (Geneigtheit zur) Wassersucht.   12. abnorm reichlicher Ausfluß.   13. Medikament unbekannter Beschaffenheit, vielleicht eine Pflanze.   14. eitrige Nagelbettentzündung.   15. Vgl. Anm. 5 zu diesem Kapitel.

prima materia, wie sie kommt in die ultima. Und so sie in der ultima ist, alsdann ist sie ein species mit aller Form wie der elementierte Leib und seiner Substanz. Und in der Bildnis des spiritus sind die arcana[16] und medicinae magnalia. Da liegt vera cura. Diese Bilder sollen gesucht werden durch die inventricem magicae artis, von der das viert Buch lehret. Denn der archaeus[17] der Natur ordiniert diesen spiritum mit Austeilung in sein Form, mit allen Arcanen, so in ihn sollen und verordnet sind. Also soll anatomia medicaminum gefunden werden, und nit in composito, nit in communibus, nit in directionibus. Denn alle Ding sind unter der Natur ordiniert und beim besten komponiert in ein formam spiritualem. Die wirst du nit besser machen, als sie ist von Natur gemacht. Allein brauch alchimiam, die da scheidet von einander. Darum, wie vormals gehört: daß du wissest die Eigenschaften aller Bildnis, alsdann so magst du dich in cura medica wohl berühmen! Denn merket auf das Exempel! Du sagst: „Das ist constrictivum" — du weißt aber nit, wo. Denn anders ist constrictivum dysenteriae[18], anders lienteriae[19], anders vomitivi[20], anders urinae, anders menstrui, anders in allen dergleichen. Das muß allein anzeigen imago virtutis constrictivae, [wo das] liegt an demselben Ort. Wie dasselbig constringiert, das zeigt imago an. Ebenso [sagst du]: „Das ist incarnativum" — du weißt aber nit, wo. Denn anders ist consolidum lupi[21], anders esthiomeni[22], anders cancri[23], anders fistulae. Darum die Kunst signata bei dem auch soll bekannt sein. Denn signatum zeigt an das locum. Das locum zeigt an sein Notdurft. Und die Notdurft wird ersättigt durch inventricem.

16. sicher wirkendes Heilmittel, Spezifikum („heimlich" in den Heilrohstoffen verborgen und aus ihnen herauszuziehen).   17. Vgl. Kp. 5. 18. Ruhr.   19. eine Art Durchfall.   20. Erbrechen.   21. fressendes Geschwür.   22. ein fressendes Geschwür, das P. zu den krebsigen Wucherungen zählt.   23. Krebs.

Von dem Buch der Gebärung der Krankheiten, von der rechten philosophia zu erkennen.

Noch eins ist vonnöten zu eröffnen, nämlich vom Herkommen der Krankheiten nach Inhalt der Philosophei. So wisset ihr alle wohl, daß von den Alten gesetzt sind vier humores nach ihrem Anzeigen. Sagen also, daß alle Krankheiten von ihnen entspringen, und in ihnen ihren Ursprung nehmen. Und vergessen damit des rechten Ursprungs der Krankheit, das ist des Samens, aus dem die Krankheiten wachsen. Nun ist nit minder, ich weiß wohl, daß der Mensch microcosmus ist. Darum so muß er in ihm haben die vier Elemente, die sie humores heißen. Wiewohl billiger wär, der Nam Element blieb; gäb ein gründlichern Verstand! Doch von des Namens wegen soll kein Papier befleckt werden.

Nun aber damit ihr mich versteht und dies Buch in das Werk komm, so lasset euch eingedenk sein, was euch dies Exempel ausweist. Dieweil die vier humores die vier Elemente sind, so folgt hernach, daß in den humoribus gleicher Verstand ist[1] wie in den Elementen. So habt ihr auch ungezweifelt gut Wissen, daß die Elemente nichts geben, allein empfangen. Zu gleicher Weis wie ein Frau ohn einen Mann nicht geschwängert kann werden, also die Elementenfrauen von ihren Mannen empfangen, nämlich von den obern vulcanischen[2]. Wie auch dieses Exempel ausweist: der Apfel wächst aus seinem Samen; und der Sam ist der Apfel, und ist sperma vulcani[2]. Aber in den Elementen empfängt er matricem. In derselbigen nimmt er sein Nahrung, Substanz, Form und das vollkommen Wesen, und kann dahin kommen, daß daraus wird, das es werden soll nach Inhalt seiner Prädestination — wie

1. . . . daß die humores ebenso verstanden werden, gleiche Bedeutung haben sollen. 2. Vgl. Kp. 5.

ein Kind, das vollkommen von seiner Mutter kommt. Also sind die Elemente nit Ursach der Krankheiten, sondern der Sam, der in sie gesäet wird und also in ihnen wächst in sein letzt Wesen und materiam, aus welchem wir wachsen, und aus welchem Erwachsen die Krankheit kommt. Und dasselbig, das erwachsen ist, ist die Krankheit.

Der nun die Krankheit erkennen will, der erkenn sie also wie einen Baum in der Gestalt: *der* Baum trägt Äpfel, der ander Birnen, der dritt Nüsse etc. Also ist auch der Unterschied unter den Krankheiten. Und also sollen die Krankheiten erkannt werden, aus dem Samen zu sein, nicht aus den humoribus; vom Vater und nicht von der Mutter. Wiewohl von der Mutter das Kind geboren wird, so ist's doch vom Vater. Wer wollte hierauf sagen oder zugeben, daß man sollte die Krankheiten suchen als einen humorem, und den humorem für die Krankheit urteilen? So doch ein anders ist die Mutter, ein anders das Kind, das von ihr kommt. Die Mutter hätt ein ander Krankheit, das Kind auch ein andere. Wer will lang des Kinds Krankheit in der Mutter suchen, die denn allein im Kind ist, das denn auch geschieden ist von der Mutter? Und wiewohl ein Einred zufallen möcht, daß Mutter und Kind *ein* Krankheit könnten haben, so ist doch je eins vom andern geschieden. Also soll die Krankheit gesucht werden in dem, da sie ist. Und ob einer sprechen würd, dieweil ich die Elemente als ein Frau halt, und die Frauen werden auch krank, also auch die Elemente, darum so sei der humor ein Krankheit etc. — so merket mich also, daß die Frau auch ein Frucht ist von ihrer Mutter, als wohl als ihr Kind. In dem scheiden sie sich von einander, die Frau und das Element. Denn die Elemente sind nit Frücht, aber gleich in der Empfängnis wie die Frau.

Wie kann nun der Arzt sagen, daß die Krankheiten elementisch sind, und vermeinen, so er das Element

vertrieb, hab [er] auch die Krankheit vertrieben? Soll
der Arzt anheben, wo der philosophus aufhört, so muß
er ein andern Verstand haben. Denn also lehret die
Philosophei nicht, einen Arzt also anzufangen. Wie
kann er sagen, daß ein Apfel von der Erden wär, so
er doch von seinem Samen kommt? Aus dem folgt nun,
so er mit seiner Arznei den humorem hinweg will tun,
so ist wohl möglich, daß er dem Kranken helfe. Doch
in der Gestalt: soll die Mutter genommen werden, daß
auch das Kind mit ihr hinweggehe. Und wo die Mutter
genommen wird, so verliert der Leib sein elementum.
Jetzt ist er tot. Also folgt aus ihrer Praktik Erwürgen
der Kranken und Zerstörung der Gesundheit. Denn
in keinem Weg soll der Leib in seinen leiblichen Elementen beraubt werden.

Merket also weiter, wie die Philosophei ein richtigen
Weg anzeigt, indem daß wir sehen, daß die Elemente
ein leibliche Mutter seien, zu empfangen den Samen,
und ihm zu geben sein Nahrung und das Gedeihen.
Wer will denn so unerfahren sein, der da wölle die
Arznei brauchen und die Philosophei nit verstehen?
Denn der Arzt soll wissen, daß er ohn solche Philosophei untüchtig den Namen trägt. Solches mag ich
euch wohl zugeben, daß ein jedlicher Samen in ihm
tincturam hat; aus dem dann folgen mag, daß die Elementen ein Entfärbung und Änderung empfangen. Daß
aber darum das elementum soll die Krankheit sein, das
ist nicht. Sondern wie ein Tuch, das da gefärbt wird
von einer fremden Farb — also geschicht's da auch. Der
nun die Farb kann herausziehen, also daß das Tuch
wieder kommen kann in seine erste Farb, der kann ein
Probierung darab ziehen[3]. Also ein Exempel in der
Gelbsucht: der dieselbig Tinktur nehmen kann, der hat
ein Samen genommen, von dem da die Tinktur ausge-
gangen ist. Also bringt er den Leib wiederum in sein

---

3. . . . der kann einen Beweis daraus entnehmen.

erste natürliche Farb. Denn die Farb kommt vom Leib nicht, sie kommt allein aus dem fremden Samen.

Nun so merket auch von der Korruption⁴. Ob gesprochen würde vom faulen Luft, vom faulen Wasser, wie daß aus solcher Korruption auch Krankheiten entspringen mögen. Es ist wahr, doch in der Gestalt: nichts Ganzes zerbricht, es empfange denn den Samen, der zerbrochen [ist]. Jetzt folgt auf das, daß der Sam korrumpiert und gibt ein ander Geschlecht der Krankheit, zerbricht den Leib wie ein Schneewasser das Eisen. So nun derselbig Samen [weg] genommen wird, so wird auch [weg] genommen dieselbig Korruption. Nimm ein Exempel: aus dem Kot wachsen Käfer, Würm etc. Nicht, daß sich der Kot in Würm verwandlet; sondern es gebiert sich ein Samen im Kot, aus welchem die Würm im Kot wachsen durch die vulcanisch⁵ Digestion. Also ist der Käfer anders denn der Roßkot. Wär er ein Roßkot, so wär er wie derselbig. So aber kein Vergleichung da ist, so hat er ein besondere Geburt, aus dem er wächset. Ein Weintraube hat ein Samen, der Wein ist. Aus demselbigen wächset der Wein; nit aus dem Samen, daraus das Holz wächset. Der Samen, daraus das Holz wächset, ist der sichtbar und griffig. Der Sam aber, daraus der Wein wächset, denselbigen sieht niemand; und sind doch beid ungeschieden in einander wie Leib und Seel.

Also merket hierauf weiter: so nun im Samen aller Handel liegt, so soll der Arzt denselbigen lernen zu verstehen, so kann er wider denselbigen sein Arznei verordnen. Und wie gemeld't ist, so soll er wissen, daß zweierlei Samen sind der Krankheiten: als der Sam iliastrum und der Sam cagastrum. Das ist: entweder er ist von Anfang [als] ein Sam geschaffen (als Apfel, Nuß oder Birn), so ist es ein iliastrum; oder es ist aus der Korruption, so ist es cagastrum. Also die Krank-

---

4. Verderbung, Schädigung, Entartung (eines an sich nicht krankhaften „Samens"). 5. chemische.

heiten iliastri sind die: Wassersucht, Gelbsucht, podagra[6] etc. Die Krankheiten cagastri sind die: pleurisis[7], Pestilenz, Fieber etc. Das ist nun ein Labyrinth, das in der Arznei nit klein ist, daß's also verfehlt soll werden. Nicht allein, daß es ein Irrtum sei, sondern es trifft an Leib und Leben. Wenn es ein Irrtum wär ohn Schaden, so wär es desto besser zu gedulden[8]. Ob nicht unbillig ein solch Labyrinth so lange Zeit gewähret[9]? Ich geschweig, daß nun viel mehr hie zu schreiben wäre (das unterlassen wird), nämlich, daß alle Rezepte, so nicht wider den Samen gestellt [sind], sind falsch und untüchtig.

Nun weiter merket mich noch einmal. Wie gedünkt euch, daß die Krankheiten also wachsen und nehmen täglich zu? Wollt ihr das recht erkennen und verstehen, so nehmt euch vor die Philosophei. Nämlich seht, wie sie euch lehre, zu verstehen und erkennen, wie das Gras wächset, auch Holz und ander Ding. Wächset es nit aus dem Samen? Ja! So denn nun aus dem Samen, und die Krankheit ist auch aus dem Samen, so wächset je eins wie das ander. Was bemühet ihr euch dann so sehr in solcher Mühe und Arbeit, die Krankheit zu beschreiben? So ihr in der natürlichen Philosophei nichts verstehet, noch wisset und erkennet, wie könnt ihr dann anheben, da der philosophus[10] aufhöret? Nämlich wollt ihr anheben, da der philosophus aufhöret, so höret er auf im natürlichen Licht der großen Welt. Also sollt ihr's in der kleinen Welt[11] richten, wie der philosophus in der großen Welt[12]. Alsdann könnt ihr ein jedliche Krankheit erkennen, wie ein Bauer die Bäum im Feld; und zu gleicher Weis die Arznei wider denselben Baum erfahrn, wie der Bauer den Baum mit der Axt abschlägt. Denn ein Sam, der in ein Baum gangen ist, der ist kein Samen mehr; und je minder er im Samen ist,

6. Gicht.   7. Rippenfellentzündung.   8. ertragen.   9. dauert.
10. der Naturphilosoph (-forscher).   11. im Menschen.   12. im Kosmos.

je weiter er vom Samen ist, je minder ein Sam. Und wie sich die Elemente teilen, also teilen sie sich auch im Leib. Denn ein ander Mutter ist das Wasser, darum gehöret philosophia fontium darzu; ein andere Mutter ist die Erde, dahin gehört philosophia crescentium. Also mit den andern Elementen auch. Und also soll der vulcanus[13] in der großen Welt erkannt werden, also auch in der kleinen Welt. So kann das Labyrinth sein Fürgang nicht haben, und kann der recht Grund der Arznei herfürkommen.

Darum, ihr Ärzt, besinnet euch besser, womit ihr umgehet. Nicht saget: „Das hat mich Galenus gelehret; ich hab das im Avicenna gelesen etc." Sagt von euch selbst, was ihr sein sollet. Zu ihren Zeiten war es also. Jetzt ist es anders. Es gilt nimmer finanzen[14] wie vor Zeiten; es gilt mehr Aufsehens[15]. Nicht fahrt ihnen nach; lernet ein Bessers, als sie euch anzeigen! Nun ist es *ihr* Geschrift, nicht das Evangelium, das man's wie die Seligkeit halten muß. Das Licht der Natur hat wohl gewirket zu ihren Zeiten. Sie haben's aber verkehrt wider die Natur. Denn wie kann ein gut Gestirn in einem tollen Esel [etwas Gutes] herfürbringen? Ist er verkehrt, so verkehrt er auch das Licht der Natur. Darum so sucht am ersten das Reich Gottes, so werd't ihr mehr tun, als auf Erden je geschehen ist. Und verzweifelt an Gott, unserm obersten Arzt, nicht. Denn so wir ihn lieben und den Nächsten, so wird es uns alles zustehen[16], was wir bedürfen. Aber [so wir] still liegen, der Liebe vergessen, so wird uns auch genommen das, so wir nicht haben[17]. Er wird nicht unterlassen, zu besehen, wie die medici sind, und zu uns sagen am Tag des Gerichts: „Gehet hin, ihr Verfluchten, in das ewig Feuer. Wo habt ihr mich getröst't, da ich krank bin gewesen, mit euer Arznei[18]? Ihr habt mir

13. Vgl. Kp. 5.   14. wuchern, betrügen.   15. Aufmerksamkeit.
16. zuteil werden (vgl. Matth. 6, 33).   17. modifiziertes Bibelzitat (Matth. 13, 12 bzw. 25, 29).   18. vgl. Matth. 25, 41 ff.

das mein genommen und auch nicht geholfen. Ihr habt
euern Gott verlassen und nichts von ihm gelernet, noch
von ihm zu lernen begehrt. Ihr habt euer Schätz gesucht auf Erden und nicht im Himmel, und meine
Werk in der Natur nie ergründet, wie sich einem Arzt
gebührt. Sondern [ihr habt] leichtfertig gehandelt,
[darum seid ihr] leichtfertig zergangen[19]." — Darum
so tut die Augen auf, damit ihr von diesem Fluch erlöst werdet!

Beschlussrede

Also wie gemeld't sind etliche Kapitel von den Büchern
der Arznei (wie sie sollen gesucht und gelernet werden) — hat mich für ein Notdurft angesehen[1], daß ich's
beschriebe und fürhielte. Denn Ursachen, die mich darzu bewegt haben, sind diese: daß so viel schreiben in
der Arznei; lehren dieselbig, wie man sie gebrauchen
soll, darzu auch auf dasselbig die curam zu führen.
Das mag aber männiglich wohl wissen, daß es übel
gehandelt ist, daß einer sollt lehren ein Ding, das Leib
und Leben berührt, und dasselbig nicht aus der rechten
Lehr, sondern aus einem Irrgang, der nicht also ist, als
sie fürgeben — und aber die curam darauf setzen,
bauen, und aus derselbigen erdichteten Phantasei prak-
tizieren. Und der Anfang ist irrig, wieviel mehr das
Mittel[2], wieviel mehr das Ende! Es ist nit wohl zu tun,
daß ein End oder ein cura genommen und geführt
werde also aus einem irrigen Anfang. Sondern dieweil
die Arznei ein anderen Grund und Anfang hat ([wie]
denn gemeld't ist), denn die Irrigen im labyrintho
haben — sollt dann nit billig sein, daß dieselbigen auf
den rechten Grund gingen, aus dem die Arznei fließen
und ausgehen soll (auch darzu geschaffen, den Anfang

19. vergangen, zerstört worden.
1. mir als ein Bedürfnis geschienen.　　2. mittleres Stadium.

und alle Notdurft zu geben), als daß auf dem Grund fort sollt gefahren werden, der für ein Grund von Gott nit dargeben ist?

Also verlassen wir das Buch, in dem die Arznei steht und aller Kranken Gesundheit, das Gott geben hat, und folgen dem Buch, das wider das geschaffene und gegebene Buch erdicht't ist. Allemal aber ist das der Brauch in der Welt unter den Menschen, daß sie [das] mehr loben, das da nichts ist noch soll[3], denn das, [das] da soll[3]; [und mehr das,] das nicht sein soll, denn das, [das] da sein soll. Allemal [sind sie] mehr zu dem geneigt, das zum ärgern geht, denn das zum besten geht. Und selig und mehr denn selig wär der, der in rechtem Maß wandelte und bedürfte nicht Menschenerdichtung, sondern wandelte gleich im Weg, den Gott geben hat. Denn also hat er die Arznei geschaffen und ihre Bücher selbst geschrieben. [Sie] bedarf weiter keines Skribenten mehr, allein interpretes auf das Buch der Natur nach Inhalt ihres Texts, inmaßen wie angezeigt ist. Und der nach denselbigen Büchern handelt und praktiziert, der kann nicht fehlen, noch irrgehen. Denn auf Gott ist gut sich zu verlassen[4]. Der sich auf Gott verläßt, der wird in kein labyrinthum geführt, der wird auch seine Kranken nit töten noch erlähmen.

Also hat's mich gut gedeucht, daß ich die Bücher bei dem kürzesten fürhielt und anzeigte, damit ein jedlicher wisse, wie die Arznei zu lehren sei und wo ihr Schul sei, damit sich der labyrinthisch medicus nicht verwundere ob dem Arzt, der aus einem anderen Grund redet und lehret denn aus dem labyrintho. Wohl dem, der dem Labyrinth nit nachgehet, sonder der Ordnung des Lichts der Natur: die ist Arznei und der Arzt.

Damit ich aber den Beschluß vollend in diesem Labyrinth der Ärzt: ich hab bisher nicht können auch bei

3. taugt.   4. vgl. Ps. 118, 8.

den Hochgelehrten herfürkommen, daß es an das Licht kommen wäre. Denn niemand will in den rechten Büchern lernen, nur im Papier die Birnen braten. Sie haben's gehindert in etliche Jahr, das und anders. Die Stund aber ist da, daß ein Maecenas gefunden ist worden, der nicht nach Gunst, sondern nach Ansehen der Billigkeit, diese Arbeit an Tag zu bringen, Sorg getragen hat: nämlich die löbliche Landschaft[5] des Erzherzogtums Kärnten. Darum ihr discipuli, auditores und Leser sollet von euerm ganzen Gemüt ihnen dankbar sein, und in allem euch gegen sie als Maecenaten gutwillig erzeigen und dienstbar finden lassen.

Geben am dritten Tag Septembris anno fünfzehenhundert achtunddreißig.

---

5. Landstände, Landtag.

Liber de summo et aeterno bono
Theophrasti

So wir wollen dem höchsten Gut nachdenken und dasselbig ergründen, so müssen wir dasselbig dermaßen setzen, daß's nach dieser Welt sei, und auf dieser Erd gar nichts da sei. Denn wollen wir den Bauch und sein Fülle halten für das höchst Gut, so fressen ihn die Würm. Das ist ein bös Gut, da die Würm Herr über sind. Wollen wir dann die Zungen darfür halten, so schlegt sie das Paralis[1]. Jetzt ist das Paralis mehr denn die Zunge. Wollen wir dann Wollust der Augen, des Leibs etc. darfür achten, so ist der Tod über die alle. So soll das höchst Gut sein, daß nichts darüber sei, weder Gold, noch Silber, noch nichts, das aus den Elementen wächst oder geht. Und nichts ist das höchst Gut denn das, das untötlich[2] ist und über uns alle ist, und ist ewig und ist unzergänglich. Darum von dem Zergänglichen zu reden in der Zahl des höchsten Guts, ist umsonst. Denn das ist Herr, das das ander überwind't. Und der am letzten überwind't, der ist der Rechte. Das ist das höchst Gut.

Diese Natur des höchsten Guts ist also, daß's uns am besten erschießt[3] und uns am nützesten ist. So ist ein hoch Gut, das uns den Bauch füllt; ein hoch Gut, das uns tränkt; ein hoch Gut, das uns belustigt und Freud gibt. Und aber noch viel ist *das* mehr das höher Gut, das uns das Leben gibt; noch viel mehr [das], das uns das Ewig gibt. Das ist das erst hoch Gut, das uns erhält auf Erden natürlich in unserm Wesen. Das ist noch ein höheres, das uns geschaffen hat und das Leben geben. Das höchst aber über das alles erkennen allein die Christen, und sonst kein philosophus. Das

---

1. Paralyse, Lähmung.　　2. unsterblich.　　3. erschprießt, nützt.

ist der, der uns erlöst hat vom Tod und das Ewig gibt, der sein Seel für seine Schäflein setzt.

Darum so ist von dem höchsten Gut nichts zu reden, allein es werde denn das da begriffen[4], das das Höchst ist, wie gemeld't. Denn was nützt uns der Garten, der Weinstock, der Kornacker, der von des Bauchs wegen da steht? Er verläßt uns, und wir ihn. Darum ist er uns nichts nutz. Wie kann denn das das höchst Gut sein? Viel mehr ist der der unser höchst Gut, der dasselbige geschaffen von unsertwegen, nachdem er uns geben hat das Leben und den Leib. Aber noch viel mehr ist's der, der uns geben hat das ewig Leben, darzu auch vom Tod erlöst. Sonst, wo das höchst Gut nit wär, was wär unser Sach? Wie bestünden wir? Übel! Denn das höchst Gut, so uns das Leben und die Erden geben hat, zieht im Tod von uns ab, läßt uns fallen in Pein und Zahnklaffen[5], aber darum ist *das* unser höchsts Gut, das uns alsdann nimmt in die Auferstehung vom Tod in das ewig Leben.

Nit ist uns zu betrachten vom höchsten Gut, [wie] die Augen urteiln, als darum daß ein Gilg[6] besser schmeck[7] denn der Wegerich, die Ros hübscher ist denn die Tollblume[8]. Die Augen geben das Urteil des höchsten Guts nit. Auch daß einer wollt nach der Zunge das höchst Gut messen und erkennen, ist auch nit. Nichts ist am Leib, das das höchst Gut gibt zu erkennen, als der Geist vom Himmel. Der ist bei den Alten nit gewesen; allein die der neuen Kreatur[9] [haben ihn]. Darum sie übertreffen alle Weisheit der Weltkinder und alle Tugend derselbigen. Die Seel in uns ist die, so nach dem höchsten Gut stellt[10], der Leib nit. Warum wollt dann einer sagen nach des Leibes Weisheit: *das* ist das höchst Gut oder *das* etc. — so doch der Leib vom höchsten Gut nichts begehrt und auch nit, von ihm zu

---

4. gemeint.   5. Zähneklappern.   6. Lilie.   7. rieche.   8. Wohl Trollblume (Trollius europaeus) gemeint, nicht Tollkraut (Schierling). 9. D. h. die Christen (vgl. 2. Kor. 5, 17).   10. strebt.

begehren, fordern darf? Die Seel ist die, so
Gut erkennt. Der das Licht der Seel nit in ih
hab Völlerei, Saufen etc. für das höchst Gu
stirbt mit demselbigen und sein höchst Gu
Die Ding alle, so der Leib ansieht und urte..,
vom höchsten Gut. Denn also nach dem Leib ward das
höchst Gut veracht't: das war Christus. Der schien nit
wie das höchst Gut, sonder schlicht in den Augen des
Leibs. Aber groß war er in den Augen der Seel.

Zu dem höchsten Gut haben sich belangt[11] die Alten[12]
und dasselbig begehrt zu sehen mit den leiblichen
Augen. Und sie haben's nit gesehen. Denn es war noch
nit geborn. Nit, daß der Leib das begehrt, aber ihr
Seel hat den Leib überwunden und regiert den Leib.
Vom höchsten Gut haben viel gered't und aber dasselbige nit verstanden. Athen hatte viel gelehrter Leut,
aber nit in rechter Erkenntnis, allein in irdischen Dingen, in denen kein Verstand ist. Das allein ein Narrheit ist vor Gott. Allein es sei denn, daß der heilige
Geist der sei, der das höchst Gut zu lernen geb, sonst
wird's niemand lernen noch erkennen. Darum die von
Athen und die philosophi vom höchsten Gut gered't
haben, und [es] ist aber noch nit geboren gewesen.
Darum haben sie vergebens und umsonst von solchem
gered't. Wie sie's verstanden haben, also haben sie's
genommen. Bei dem, daß sie genommen haben für das
höchst Gut, also sind sie zu erkennen, was Gelehrtheit,
Verstand, Weisheit in ihnen gewesen sei. Was nit dahin
ficht, daß's nach dieser Erden hilflich sei, da ist kein
höchsts Gut nit, noch der Verstand[13] von ihm. Denn
der Leib und sein Wollust und sein Notdurft ist nit
das Höchst. Es war wohl das Höchst nach Gott, da es
im Paradeis war. Aber auf Erden war es gar nichts und
durft auch den ersten Schöpfer nimmer ansehen, als
allein das höchst Gut, das Christus ist.

11. gesehnt.   12. vor allem die Frommen des Alten Bundes (vgl.
Joh. 8,56; Hebr. 11).   13. Verständnis, rechter Begriff.

Es sind viel, die halten für das höchst Gut den Menschen oder sein Gewalt; als: einer, der den Kaiser für das höchst Gut hält oder den Menschen, der ihm Guts tut, gibt oder hilft. Das ist nun nit. Denn ist nit einer über den Kaiser? Derselbig ist's billicher denn der Kaiser! Ist nit einer, der dem [Kaiser] muß das[14] geben, der [auch] *dir* dein Notdurft gibt? Ist's nit derselbig mehr? Je höher man kommen kann, je mehr man das höchst Gut ergründ't. Das ist aber nun allein in dem Irdischen gehandelt. Das in dem Ewigen ist über das alles. Viel halten die Abgötter[15] für das höchst Gut; vermeinen, darum sie etwa ein Zeichen tun, so sei's das höchst Gut, und gedenken nit, daß noch eins ist, das dieselbigen zerstören kann und zerbrechen. Viel halten die Arznei für das höchst Gut, darum daß sie vielen hilft. Ist nit aber der mehr, der sie geschaffen hat vonwegen des kranken Leibs? Ist nun nit der auch mehr, der die Seel arznet, die mehr ist denn der Leib? Mehr ist dasselbig das höchst Gut denn [das], das dem Leib Krankheit nimmt und ihn erhält. Die den Papst zum höchsten Gut achten, die fehlen am meisten. Denn er ist der, der das höchst Gut muß haben, oder er stirbt des ewigen Tods. Ist er nun nit Meister über das höchst Gut, sondern unter ihm, so kann ihn auch niemand dafür achten noch halten. Denn was tödlich[16] ist, ist nit das höchst Gut; was auch Gnaden bedarf und begehrt, auch nit. Allein das ist's, in das alle Dinge müssen, aus dem alle Dinge kommen.

Die Sonne ist ein hoch Gut, aber nit das höchst. Sondern vom höchsten kommt sie. Das Gestirn also auch. Was ist [es], daß der Sohn Saturni oder Veneris oder Jovis[17] wollte sagen: „Jupiter ist mir das höchste Gut" — oder der Sohn Veneris: „Venus ist mir das höchst Gut"? Nun ist doch einer, der Jovem und Ve-

14. näml. Gut und Macht.   15. vielleicht Anspielung auf die Geistlichen oder auf die Heiligen.   16. sterblich.   17. d. h. der von dem betreffenden Planeten beeinflußte Mensch.

nerem zerbrechen wird. Derselbig ist's! Wie kann einer sagen: „Adam ist mein höchstes Gut" – so Adam in einen andern gehofft hat?[17a] Die aber Kinder Gottes sind, die können sagen: „Mein Vater ist das höchst Gut", das ist: Gott. Etliche haben Patrone, zu denen sie fliehen[18] als zum höchsten Gut. Und aber dieselbigen sind in der Faust des höchsten Guts. Denn wie *einer* ist das höchst Gut, und nit mehr – nach dem tödlichen[16] Leben ist Gott der Vater, nach dem ewigen ist Gott der Sohn, nach der Weisheit ist Gott der heilig Geist. Und die drei sind *ein* Gut. Darumb ist das nit drei höchste Gut, sondern eins. Denn alle drei muß der Mensch haben, und ist doch nit mehr denn *ein* Mensch und wird nit mehr und ist doch dreifach.

Der nichts vom Ewigen weiß, dem ist sein Handel das höchst Gut: als dem Hafner[19] der Lehm, dem Schmied die Kohle etc. Die aber wissen nit, was das höchst Gut ist, sondern bleiben in dem Tödlichen[20] und in dem Irdischen. Da suchen sie ihr höchsts Gut. Den aber Gott erleucht't durch den heiligen Geist, der sucht's nit auf Erden, sondern nach der Erden im Reich der Himmel. Da ist's zuhaus.

Der Sommer ist der Immen höchst's Gut; gibt ihnen ein fröhlich Waben mit Wachs und mit Honig. Stehlen und Rauben ist des Wolfs höchsts Gut. Das ist: Schaf und Geiß sind sein höchsts Gut. Denn also ist sein Tugend[21]. Das ist nun soviel: die Tiere in der Luft, auf der Erden, im Wasser, dieselbigen haben das für das höchst Gut, das ihnen wohl tut zu ihrer Nahrung. Denn weiter sind sie nichts mehr hoffend. Darum so bleibt das Wasser des Fischs höchsts Gut, und das Gras der Kühe, die Luft der Vögel. Der Mensch aber nit also. Denn sein höchsts Gut ist nit von dieser Erden. Er muß weiter, so er von dieser Erden kommt, und hat mehr

17 a. Vgl. Röm. 5, 12 ff.; 1. Kor. 15, 45 ff.; auch Röm. 4, 18.   18. Zuflucht nehmen.   19. Töpfer.   20. Sterblichen, Zeitlichen.   21. Eigenschaft, Veranlagung.

nach diesem Leben zu erhoffen denn die Tiere. Darum so
muß er zum Höchsten ansteigen. Und wenn er das wollt
verachten, so soll er wissen: so ein höchsts Gut ist, so ist
auch dagegen ein Widerspiel[22], das ist: ein niederst Übel.
Entweders[23] muß nun sein: zum Höchsten oder zum
Niedrigsten, zum Guten oder zum Übel oder Bösen.

Das ist also: der Magen — was ihn lüst't, das ist sein
höchsts Gut. So allein des Magen, aber nit des Menschen. Der Magen ist nit der Mensch. Die Leber hat
auch ein Lust. [Das sie lüstet,] ist ihr höchsts Gut, aber
darum nit des Menschen. Begehrn die Augen, die
Ohren, die Zunge etc. etwas — es ist ihr höchst Gut.
Aber darum so ist der Mensch nit [der], der sich dafür
solle achten, daß er damit oder darinnen begriffen[24]
werde. Denn er ist, so der Magen nimmer ist, so die
Leber nit ist; so weder Augen, Nase, Ohrn, Zunge etc.
sind, so ist er. Darum so soll der Mensch das Tierisch
an ihm [für] tierisch halten und achten, das ist: nit für
den Menschen; und nit die Augen oder den Magen
oder Bauch herrschen [lassen], sondern dieselbigen als
tierische Glieder lassen wandlen und den Menschen
auch lassen wandlen, daß je eins das ander beschirme,
also daß der Mensch oben liegt und die tierisch Art
unter dem Menschen. Denn der Mensch steht nit im
Gebot; allein sein Natur ist dem Gebot unterworfen.
Die soll er regieren. Der Mensch ist frei vom Gebot
und allem Gesetz. Darum aber hat er die Gebot, darum daß er tierisch ist und nit tierisch leben soll; allein
tierisch sein, so weit das Gebot Gottes, des höchsten
Guts, nit gebrochen noch befleckt werde. Also die, so
nit vom Menschen gewußt haben, die haben ihr Augen,
der ander den Magen für das höchst Gut geacht't, oder
den Geiz oder den Finanz[25] und dergleichen. Der da
will das höchst Gut erkennen, derselbige soll die Dinge
alle lassen fallen und allein in das gehn, daß nach

22. Gegenteil.   23. eines von diesen beiden.   24. gemeint.
25. Wucher.

diesem Leben ein ander Leben ist und daß dasselbig Leben uns bereit't ist und daß dasselbig Leben das höchst Gut ist, darum daß es uns besser nicht geben kann werden.

Was ist es, daß wir wissen vom höchsten Gut und erkennen das, und aber wir sind nit darinnen? Darum ist nit allein not, vom seligen Leben zu wissen, welches das Haupt darinnen ist oder welches das Oberst ist, sondern auch zu wissen, daß wir im selbigen sind und des höchsten Guts genießen. So wir nun im selbigen sind, jetzt können wir uns desselbigen freuen. So wir wollen im höchsten Gut sein wie ein Fisch im Wasser, ein Wurz in der Erden, ein Gold in seinem Erz, [so] ist vonnöten, daß wir in allen unsern Kräften im selbigen liegen. Und zu gleicher Weis wie der Fisch gar nichts hat, als allein was ihm das Wasser gibt (vom selbigen lebt er), also gar nichts sollen wir um oder in uns haben, als allein das höchst Gut. Denn wie ein Vogel lebt in der Luft und hält die Luft für sein höchstes Gut, also auf solches lebt auch der Mensch im höchsten Gut. Und allein was vom selbigen ist, im selbigen fliegt er. Und wie sich ein Baum aus der Erden erhält und grünet und wächst und bringt sein Frucht herfür, also sollen wir auch tun, die da im höchsten Gut leben, daß nichts aus ihnen gehe noch wachs, es sei denn mit seiner Wurzen im höchsten Gut eingewurzt und gepflanzt. Und was da gepflanzt wird, das wird niemand mögen ausreuten, noch kein Wetter wird ihm schaden.

Also auf solches sollen wir wissen, daß wir auf Erden, die da Menschen sind, solchs bedenken sollen und erkennen, und weiter nichts mehr an uns fassen als eben das, so uns aus dem höchsten Gut kommt. Denn wir sollen nit meinen, darum daß wir frei sind, können sitzen und stehn im vollen Garten, wie er woll, daß wir darum also wanklen sollen. Sondern wir sollen uns also in das höchst Gut setzen, daß wir so wenig ab

Statt[26] kommen als ein Baum in seiner Erden; und zu gleicher Weis wie ein Fisch im Wasser, wie ein Vogel in der Luft aus demselbigen nit kommt, er woll denn sterben, also wenig sollen wir aus dem höchsten Gut auch kommen. Denn wer heraus kommt, dem geschieht wie dem Hering; der, so er sein Wasser verliert, so stirbt er. Also auch der Mensch. Darum, so er weiß nun, wo das höchst Gut liegt, so soll er auch wissen, daß er aus demselbigen nit komme. Denn was da ausgereut't wird, das stirbt des ewigen Tods, nit eins viehischen Tods, der sich selbst nimmer kennt.

Und so wir also im höchsten Gut sind, so wachsen wir weiter in die Viele der Geschlechter[27], denn aller Frücht auf Erden sind. Und unserer Frücht werden mehr und mannigfaltiger sein denn des Sands im Meer. Nit auf einmal, sondern einander nach, bis's dahin kommt. Denn wie zu Abrahams Zeiten gesprochen ward und zu den Altvätern, daß ihr Samen werde mehr sein und werden denn Sterne am Himmel, denn Sand am Meer[28] — nit daß solches auf einmal sei zu erkennen und zu finden, sondern mit der Zeit, je einer vom andern, bis das Wort Gottes erfüllt ward. Solches nit allein bei Abraham ist, sondern auch beim höchsten Gut, das Christus ist. Das ist soviel: es werden die Kinder Gottes nit absterben (die, so geboren werden aus dem Geist), solang bis ihrer werden sein mehr denn des Sands im Meer und der Sterne im Himmel. Denn viele sind, die den Jüngsten Tag gegenwärtig schätzen, bald zukünftig; und aber diese Zahl ist noch nit erfüllt. Wer weiß, wieviel Sand im Meer, wer weiß, wieviel Sterne am Himmel, wer weiß von den Dingen ihr Zahl? Also auch wer weiß die Zahl der Kinder Gottes, wieviel vor[29] sind, wieviel noch zukünftig sind? Wer ist der, der die Dinge weiß? Oder wer kann das rech-

26. vom Fleck weg.   27. D. h. zu einer Mehrzahl von Generationen, zu einer größeren Geschlechterfolge.   28. Vgl. 1. Mos. 15, 5; 22, 17; 2. Mos. 32, 13.   29. vorher, d. h. schon gewesen.

nen im Sand und in Sternen und in Kindern Gottes? Freilich niemand! Sonderlich, dieweil noch niemand weiß, wer ein Kind Gottes ist oder nit.

Darum so wisset in den Dingen, daß ihr sollet im höchsten Gut leben und sein und aus demselbigen grünen und wachsen. So werden aus uns gehn die Frücht des Lebens. Was ist die Frucht des Lebens? Die Stimme wie im Paradeis: Der sie isset, der stirbt nit[30]. Dieselbig Frucht ward Adam gegeben. Er aber bracht sich darum. Itzt ist sie Christi. Derselbig ist die Frucht des Lebens. Vom selbigen müssen wir essen, so sterben wir nit. Und müssen aber also aus ihm essen, daß wir ganz im höchsten Gut stehen und sind. Darauf Christus spricht: „Der isset mein Fleisch und trinket mein Blut, der ist in mir und ich in ihm." Aus was Ursach red't er das? Daß er des lebendigen Holz's aus dem Paradeis ist, das wir durch Adam und Eva verloren haben. Und aber Christus, der ist's selbst, sein Blut und Fleisch. Darum der das isset, derselbig ist in ihm und er in uns. Also sind Wurzen und Garten in einem.

So wir nun also von dieser Frucht essen (indem so wir im höchsten Gut leben), so sterben wir nit. So hat die Frucht *die* Natur: dem sie Gott gibt, unser höchsts Gut, derselbig ist friedlich, ist mild, ist selig und mit allen seligen Tugenden[31] begabt. Denn also müssen wir uns auf Erden sein lassen, als seien wir im Paradeis und sehen's nit und essen von der Frucht des Lebens. Und aus der Natur dieser Frucht kommt's hernach, daß aus uns wächst die Gab und Frucht, so der Mensch auf Erden (das ist: im selbigen Paradeis) pflegen und gebrauchen soll. *Der* wird begabt mit göttlicher Gewalt, das ist: mit der Gewalt, zu regieren in göttlicher Vernunft; der Ander wird begabt in die ewig Kunst auf Erden; der Dritt wächst in ein Frucht der Gesundmachung; der Viert in ein Frucht zu ander Notdurft.

30. Vgl. 1. Mos. 3, 22.   31. Eigenschaft, Kraft.

Also wird ein jeglicher dahin begabt, dahin ihn Gott verordnet. Das sind die Bäum und Gewächs des jetzigen Paradeis: allein der Mensch. Und die Tugend[31], so von ihm geht, ist sein Obst. Und Christus ist die Erde und der Garten, in dem und aus dem die Dinge alle wachsen. Das ist jetzt auf diesmal das Paradeis. Und die Kinder Gottes sind die, so Gott darein führt. Zu gleicher Weis wie er Adam darein geführt hat von der Erden, also führet er uns auch von der Erden zu seinem Sohn. Jetzt, den er zu ihm führt, der ist im Paradeis.

Derselbig nun, der also in das Paradeis (das ist: in Christum) geführt wird, dem geschieht wie Adam. Ist er gehorsam dem Gebot Gottes, so bleibt er darin und isset von allen Früchten, das ist: von den Gaben des heiligen Geistes was er will, das gibt er ihm: daß er mit feurigen Zungen red't, daß er Teufel austreibt etc.[32] Ist er aber nit gehorsam und wider die Gebote Gottes, so wird er *von* Christo geführt und *von* ihm getrieben, zu gleicher Weis wie Adam und Eva aus dem Paradeis. Alsdann wie Adam aus dem Paradeis kommen [ist] in die Welt, in Jammer und Not, in Greinen und Zahnen[33], also werden auch die kommen, so von Christo getrieben werden, nach ihrem Tod in den Tod des Zahnklaffens[33] und des Greinens, das denn ist das ewig Feuer, da kein Freud ist noch Mut[34]. Also obschon einer im höchsten Gut ist und lebt, so ist er darum noch nit bestätigt. Allein der Mensch bestätigt sich selbst. Das ist: er sei gehorsam und folge, so bleibt er in diesem Paradeis. Wo aber nit, so muß er heraus. Denn übersah[35] Gott Adam und Evam nit, für die er nit gelitten hat, noch viel weniger übersieht[35] er denen nit, die er mit seinem Tod erlöst hat und die von ihm fallen.

Und aber zu gleicher Weis wie wir sehen, daß Schlangen und Ottern in einem Wald laufen und Moltwürm[36] und Kröten, das nun giftige Tier sind, und aber nichts

32. vgl. Mark. 16, 17.   33. Zähneklappern.   34. froher Sinn („froher Mut").   35. nachsehen, verzeihen.   36. Maulwurf.

desto minder so stehn im selbigen Wald grüne Buchen, Eichen und dergleichen, — wie also die zwei beieinander stehn, also stehn auch die Gehorsamen in dem Paradeis, bis sie sterben. Das ist: die Seligen grünen wie die Eichen und Buchen[37]; die Ungehorsamen laufen unter den Seligen um gleichwie die Schlangen, Kröten und Moltwürm[36]. Also kriechen sie auf der Erden um. Denn das ist der Fluch, so aus dem Paradeis kommen ist, da Gott Adam ließ bleiben und ihm sein Gang und Sinn und Fröhlichkeit ließ, aber die Schlang verflucht er, daß sie sollt kriechen auf Erden[38]. Also fürhin, welche da [die] sind, so Gott widerwärtig sind, dieselbigen kriechen im Paradeis wie die Schlangen. Was nit sichtbar jetzt ist, das wird sichtbar werden. Und man wird sie sehen kriechen und zapplen, so die Gehorsamen werden aufwachsen gen Himmel wie die edlen, hübschen Bäum.

Also sind wir auf Erden, daß die Schlang Leviathan nit weiß, was ihr ist oder was sie betrogen hat, was selig ist oder was nit. Denn wir grünen alle durcheinander. Und keiner ist eine Kröt oder Schlang, sondern alle grünend Bäum. Und ob einer gleichwohl der Verdammten ist, das ist aber die Ursach, daß Gott in uns in diesem Jammertal ein reuigs und demütiges Herz ansehen will. Darum ob gleichwohl die Schlang einen verführt, so kommt die Stund und Zeit, daß er bereuet und sein Herz demütiget gegen Gott. Darum so läßt uns Gott auf *die* Stund alle grünen. Aber was da nit in die Reu und Demütigkeit geht und stirbt, alsdann so wandlet die Schlang, wie sie Gott verflucht hat. Denn nach dieser Erden ist kein Paradeis mehr, sondern das Reich Gottes. Im selbigen ist uns der Tisch bereit't, zu essen mit Christo das Nachtmahl, so er mit uns verlassen[39] hat, [um es dort] wieder anzufangen. Die nun in das Reich Gottes nit kommen, dieselbigen haben kein

37. vgl. Ps. 92, 13 ff.   38. Vgl. 1. Mos. 3, 14.   39. zurückgelassen (vgl. Luk. 13, 29; 22, 30; Matth. 26, 29).

Hoffnung mehr, dann des Holz des Lebens, das die Frucht des Lebens gibt, zu essen. Derselbig wird es geben fürhin im Reich seins Vaters, aus dem er dann nimmer kommen wird, sondern ewig und ohn End da sein. Denn er ist der, der den Tod überwunden hat und uns erlöst als unser höchsts Gut.

Nun liegt an dem, daß wir fürhin wissen sollen, wie wir uns im höchsten Gut führen und weisen sollen, auf daß wir nit in Ungehorsam gefunden werden. So ist das ein Punkt, der uns fest[40] zum ersten anzunehmen ist und einzubilden[41]: daß wir gedenken, wie uns das höchst Gut, Christus, von unserm himmlischen Vater geschickt ist und gesandt als den höchsten Schatz, der uns geben kann und mag werden. Denn nichts ist höher als der Sohn. Darum ist er das höchst Gut. Auf solches sollen wir betrachten, wie er sich gehalten[42] hat gegen uns, also daß wir uns auch halten gegen ihn und gegen uns untereinander in *der* Gestalt. Er hat für uns gelitten den Tod und uns damit erlöst alle gleich, nit einen mehr oder minder denn den andern; gleich viel einem jeglichen. Auf selbiges so wisset, daß dasjenig, so wir haben, soll unparteiisch sein und jedermann gleich viel sein, keiner mehr, keiner minder. Wir sind ihm alle gleich lieb. Gleich ist auch sein Gnad. Und wiewohl das ist: „Der viel liebt, dem wird viel[43]" — aber die Erlösung ist allen gleich. Ungleich ist aber die Gab, die aus der Lieb entspringt.

So nun keiner kann sagen: „Christus hat mich erlöst, dich nit" oder „mich mehr denn dich" etc. — so kann auch keiner sagen: „Gott, der Vater, hat mir mehr Leben geben denn dir." Sondern einem als viel Leben als dem andern. Auch so nun das gleich ist, so ist auch gleich ausgeteilt das Gut der Erden, in der Gestalt, daß sie unser ist und nit eins andern. So sie unser ist, so sollen wir die haben gleich, nit ungleich. Nun aber, daß

40. sehr.   41. einzuprägen, vorzustellen.   42. verhalten.
43. Vgl. Luk. 7, 47.

einem mehr denn dem andern wird, einem minder denn dem andern (und wie es also läuft ungleich), so soll doch der Reiche nit sagen, daß er mehr hab denn der Arme, der nichts hat. Denn hat er mehr, soll einer desto mehr ausgeben, damit er's nit allein freß; sondern gleiches Auskommen, das andere auch haben. Also gibt Gott viel: *dem* das, *dem* das, oder wie es also sich schicket. Darum so nun das höchst Gut uns alle gleich vermeint, hie zu nießen[44] die Erden, so sollen wir's also auch meinen, uns untereinander zu geben: der viel hat, viel geben denen, die nit haben, auf daß sie gefunden werden mild in ihren Gaben. Also auch sollen wir das betrachten im seligen Leben, daß wir nichts Besonders[45] machen, sondern gleich seinen Geboten folgig sind, der da gesagt hat: „Ein neu Gebot geb ich euch, daß ihr einander liebet[46]". So nun die Tugend in uns ist, so ist wohl, was wir haben. Wir können nit zuviel haben an keinerlei Reichtum. Denn Ursach: es sind allemal soviel der Armen da, die es hinwegtragen, daß allemal der Kasten leer wird und kein Schatz von Maden und Würmen da wachsen kann[47].

So ist nun wieder ein Punkt, was wir aus einander machen: daß *der* über den sei und *der* über denselbigen etc. Dennoch so ist es gegen Gott nichts. Er hält je einen wie den andern. Das er dem Mindsten geboten hat, hat er auch dem Meisten[48] geboten. Da er sagt: „Du sollst nit die Ehe brechen" — ist jedermann gesagt, dem Wohlmögenden[49] wie dem Unmögenden, dem Reichen wie dem Armen, dem Obersten wie dem Untersten. Und also mit andern Geboten allen. Da er sagt: „Du sollst nit stehlen" — da red't er auf Dieb, so den Reichen stehlen und andern heimlich nehmen. Darum sagt er auch: „Du sollst kein fremdes Gut begehrn" — da red't er auf die, so nit stehlen, sondern mit Gewalt nehmen und rauben in ihrem Wucher und betrügen,

44. nutzen.   45. Abgesondertes, Ungleiches.   46. Joh. 13, 34.   47. vgl. Matth. 26, 11 Par.; 6, 19 f.   48. Höchsten, Größten.   49. Mächtigen.

schätzen[50] und übernehmen[51]. Niemand ist ledig, keiner ausgenommen. Es geht in all gemein[52]. Also wir auch, so wir Gebote machen und haben, sollen sie auch in die Gemein Gottes; niemand [soll] da entschuldiget sein, weder reich noch arm, weder gelehrt noch ungelehrt. Denn so ein Reicher stiehlt — er ist bei Gott verurteilt als ein Stehler; so ein Armer stiehlt, auch also. Denn er hat uns dermaßen die Kraft geben, daß niemand zum Stehlen gezwungen werd, als was der eigen bös Mutwill tut. Also auch der sein Ehe bricht oder huret, der ist von Gott verurteilt, er sei gleich, wer er woll, gelehrt oder nit, geistlich oder weltlich. Denn Gott hat kein Ansehen gegen die Person. Darum sollen wir das uns auch lassen ein Exempel sein, daß wir auch kein Ansehen haben in den Personen, sondern jedermann helfen, raten, geben gleich und halten gleich.

Wie Gott uns die Fußstapfen anzeigt, also sollen wir ihnen nachfolgen auch auf Erden. Denn also ist's sein Will: niemand verachten, niemand mehr lieben. Denn da langt das hin[53], da er sagt: „Der zu seinem Bruder sagt racha" etc.[54] Wir sind alle Brüder. So wir deshalb *einen* verachten, den andern nit, so sündigen wir. Wir sollen einander gleich durcheinander lieben und niemand lästern, Guts um Bös's geben, dem Guten Guts, dem Bösen auch Guts, je einem wie dem andern[55]. Und wo wir das nit täten, so täten wir wider das höchst Gut, das Milde gebraucht, gibt den Regen Guten und Bösen und die Sonne[56]. Also wir auch in seinen Fußstapfen sollen nachfolgen. So die Stund der Ernt kommt, alsdann werden [wir] gereutert[57] und gesondert, ein jeglicher von dem andern. Die Guts getan haben, die werden eingehn in das Reich der Himmel unsers himmlischen Vaters; die Bös's getan, in das ewig Feuer[58].

50. besteuern.   51. übervorteilen.   52. . . . auf alle gemeinsam.
53. Darauf bezieht es sich . . .   54. Matth. 5, 22.   55. Vgl. 1. Petr. 3,
9 Par.   56. Vgl. Matth. 5, 45.   57. ausgesiebt.   58. Vgl.
Mark. 9, 43—47 Par.

Gottes halten allein in der Lieb gegen Gott u
Nächsten, daß wir nit reich werden und nit a
irbt uns nichts, bringt uns nichts um das Zeitli
Acker ist nichts desto minder dein Acker, d
garten nichts desto minder dein Weingarten.
deinem Bauch nichts ab. Darinnen nimm
pel: alle Menschen, so auf Erden sind, die ha
hren Teil von der Erden. Und wächst soviel,
hem sein Teil wird. Daß aber Teuerungen k
hat zwo Ursachen. Eine aus der Zeit der Na
elbigen[75] hungert; töt't kein Menschen. Denn
r nicht ist, ist forthin. Da ist allemal genug.
re Teuerung ist die, so wir's einander vorentha
nit geben wollen, sondern mit Wucher aufset
sieh die erste Teuerung, wie ein gute Teuerun
ie schad't uns allen nit. Allein die Lieb da
sich der Reiche freuete, den Armen zu helfen
und ist allemal genug da, daß niemand kein H
nat. Und [es] würd noch viel mehr da sein, so
her und Vorkauf[76], Schatzung[77], Zehnt etc.
Zins nit wäre. Nun sieh: so die Liebe bei uns w
itt jedermann genug von Jugend auf bis in sein
soll die Liebe bei den Reichen sein, bei denen
Nutz der Erden haben. Ist sie da, wie selig ist
n, die das Volk trägt. Ist sie nit da, so wachse
e, Mörder und dergleichen und ein jeglicher si
nach, wie er auch reich werd. Das Nachsinnen
Schelmerei, Betrug, Bescheißerei und dergleic
werden die Kinder der Verdammnis geborn,
Ursprung nehmen in dem, daß dem Gebo
t wird: „Du sollst den Nächsten lieben[78]."
cht der Reiche sich selbst zur Verdammnis und
en zur Verdammnis. Wie groß ist nun des
mnis, der reich ist, der den andern verdammt m
h sein Nichthaltung der Gebote!

Die Dinge zu erkennen, ist allein: wie Gott uns vor-
geht, also sollen wir hernachgehn.

So wir wollen im höchsten Gut leben, sollen wir
alles das, so zur Hoffart und zum Geiz und zu eigner
Wollust dient, von uns tun. Denn unser höchst Gut ist
wider die Hoffart gewesen. Darum uns ein Exempel
vorgegangen hat, daß wir auch also seien wie er. So
nun in ihm kein Hoffart gewesen ist in keinerlei Dingen, so soll ein jeglicher auch sein Stand führen und
sein Wandel, daß in ihm kein Hoffart gesehen werd.
Nit ansehen Salomon und dieselbigen Könige in Reichtum. Denn sie sind nit unsere Vorgeher[59], allein Christus ist's. Dem sollen wir nachschlagen. Ein König soll
nit Alexanders Hof halten, noch Artus' Hof, sondern
den Hof Christi; *die* speisen, die ihm's nit wiederzu-
vergelten haben, wie Christus, da er etlich tausend
Menschen speiste. Also auch, der ein Arzt ist, soll nit
sein Arznei brauchen zu Hoffart, sondern wie Christus
allein zur Notdurft der Kranken; desgleichen auch in
keinen Dingen kein Geiz brauchen. Ein König ist nit
darum ein König des Geiz's, sondern des gemeinen
Nutz's. Hat nun Christus aus dem ewigen Leben nichts
gelöst[60] noch ergeizet[61] gegen uns, sonder vergebens[62]
geben, also auch soll unser König nit ein König des Geiz
sein, sondern des gemeinen Nutz, der ohn Geiz wohl sein
kann. Also auch ein Arzt soll nit sein Arznei auf den Geiz
richten und brauchen; aus Ursachen: auch Christus hat's
nit getan. Hat nun derselbig uns ein Exempel vorgege-
ben, so müssen wir demselbigen nach. Da hilft nichts vor.

Da Christus auf dieser Welt wandlete — was er be-
durfte, das genoß er nit zu dieser Wollust. Darum auch
der Mensch nichts soll zur Wollust aufrichten. Also hat
er uns ein Exempel geben in allem, was wir handlen[63]
Das soll dermaßen gericht't sein, daß ein jeglicher
Christ ihn fürnehme und sehe: wie *er*, also wir auch!

näml. Mensch.   76. wucherisches Aufkaufen.   77. Be
    78. Vgl. Matth. 22, 39.

    59. Vorbilder.   60. eingenommen, verdient.   61. zusammen-
gescharrt, gierig erworben.   62. unentgeltlich.   63. Vgl. Joh. 13, 15.

Nit darum in einem Rock[64] gehn, nit darum von einer Statt zur andern, sondern ein jeglicher in seinem Beruf bleiben und denselbigen unter dem Kreuz tragen und Christo nachfolgen. Wer ist auf Erden je gewesen, dem wir seinem Exempel sollten oder möchten seliglich nach wandlen? Nie keiner als allein Christus! Hätten die Juden Adam gefolget oder Moses in seinen Fuß stapfen gangen, was wär's gewesen? Die Heiden in Alexanders oder Aristotelis, was wär's gewesen? Allein die Christen haben den Rechten, dem sie sollen nach folgen. Der ist Christus. Und der dem nit nachgeht und folget in seinen Fußstapfen, der wird nit selig werden. Warum? Er ist die Seligkeit! Dieweil er's ist, so wollen wir gewiß nach ihm. Und in allen andern Vor gehrn ist nichts denn Fehl; aus Ursachen: ihrer keiner ist die Seligkeit, noch vom Himmel. Darum soll nach keins Menschen Fußstapfen gangen werden, allein nach Christi, und nit nach Benedicti.

Dieweil wir grob aus Mutterleib kommen und büffe lig[65], ist not, daß wir Lehr haben, auf daß wir in den selbigen uns wissen zu richten, weiter zu wandlen. Nu sind viel der Menschen, die etwas geschrieben haben das das menschlich Licht der Natur nit kann verwerfen Aber dennoch ist es nit der Weg zur Seligkeit. Abe im höchsten Gut gewandlet[66]! Darum so sollen dieselbi gen im seligen Leben nit anders gelesen werden, als z sehen die Herzen und Gemüt der Heiden und den Natürlichen[67], auch [derer], die da gern hätten rech getan, und aber im rechten Grund der Seligkeit ni erfahren, und doch ein Furcht gegen Gott tragen, in dem daß sie den Nächsten nit erzürnten und sich ni fürchten sollten vor dem Gestirn oder vor den Bäume oder vor den Menschen[68].

Jetzt aber so haben wir den Höch des Lehr allein nichts [anderes] ist als Also wie es im Himmel ist, also haben Darum so folgt aus dem, daß wir de lesen. Nit allein lesen wie anderer He sondern lesen in der Gestalt, daß in das, so diese sind, also in uns vollbrach es in uns vollbracht wird, so leben wir und sind gleich den Englen im Himm geschrieben mit unsern Namen in das Der im selbigen Buch steht, derselbig es. Auf denselbigen[71] dürfen wir un verlassen, weiter auf keinen mehr. De „Seid barmherzig[72]" — jetzt wissen w herzig sind und nit wüterich, daß wir ind. Denn der hat's gesagt, der es sell führen auf Erden zweierlei Lehr. Di chen in dem Licht der Natur. Und is endlehnen[73] uns auch, aber nit in d esen wir's, und also lassen wir's den Jetzt aber sind wir Christen, darum i Lehrer. Denselbigen lesen wir und in i und seiner Lehr geben wir Folg und Lehr die wirkt in uns, gibt Frucht. Je und wandlen im höchsten Gut. Denn Dinge beschrieben, und [er] nimmt ihrem Licht. Denn das ist der Natu n Sitten und Wesen friedlich handlen rfahren der Natur Kraft, Tugend[74] ie Kunst der Welt. Denn die Dinge s schaffen. Was aber weiter außerhalb ußerhalb der Lehr Christi ist, [ist] d

Seht nun, ein jeglicher, und merkt:

---

64. D. h. in einer sich heraushebenden Kleidung. schwerfällig. 66. Erg.: ist der Weg zur Seligkeit. 67. Erg.: Men schen (d. h. der Nichtchristen). 68. Anspielung auf nichtchristlich Gottheiten.

65. ochsenartig 69. näml. den Himmel. 70. Vgl. Offenb. 20, 12 72. Vgl. Matth. 5, 7. 73. Unklar; v an Land, zur Landung bringen, lenken, hinwer u konj.: lehren? 74. Eigenschaft.

So wir die Dinge ermessen und ansehen, so sollen wir wissen und ermessen, daß kein Gott ist als unser Gott, kein höher Gut als unser Gott, der uns genug gibt ohn Gebresten noch Schwere. So wir allein am ersten das Reich Gottes suchten, das ist: die Liebe, — so wir die suchen in uns und treiben sie herfür, jetzt so ist das Reich Gottes da, jetzt ist alles genug da. Wo aber nit — allein im Eigennutz, in eigen Küchen — jetzt schlägt der Hagel, der Donner darzu und macht böse Jahr; da sind Plagen von Gott, die alle nit geschähen, so wir würden Gottes Gebot nachgehn, Gott lieben und den Nächsten, und das mit vollkommner Liebe. Denn in solcher vollkommner Lieb müssen wir das ewig Leben erlangen. Ohn die Liebe wird uns Gott auch kein Liebe mitteilen, sondern messen mit dem Maß, damit wir gemessen haben.

Viel sind der Seligen und Heiligen, die im höchsten Gut gewandlet haben und in Widerwärtigkeit standen, und aber, wie der Stand gewesen ist, denselbigen verlassen und in Gott gewandlet, das ist: im höchsten Gut. Nit alle gleich, sonder einer also, der ander also; und doch alle im höchsten Gut blieben auf Erden. Denn viele sind der Seligen, so zu Gott sind kommen, die in unseligen Ständen gewesen sind auf Erden. *Der* ist gewesen ein Nachfolger *des* Patrones, der ander ein Ordensmann *des* Patrones etc. Aber die Ständ und Orden sind gleich wie ein Hurenorden; Ursach: die Huren können auch selig werden, indem so sie von selben Sünden lassen und wandlen im Weg des höchsten Guts. Also ob gleichwohl einer eines Menschen Regulen[79] nachfolget und tut sie, ob sie gleichwohl schwer ist, hart ist etc., so ist es doch nur Hurerei. Denn in Gottes Lehr sollen wir wandlen, nit in Regulen. Darum, fallen sie vom selbigen in Reu und Leid und gehn in den Weg Gottes, alsdann so wandlen sie selig-

---

79. D. h. Ordensregeln.

lich. Und ist mit ihnen gleich als mit Maria Magdalena: der wird viel vergeben – viel hat sie geliebt[80].

Darauf folgt nun, daß sich oft begibt, daß ein Mönch ein Heiliger wird, der aus einem Konvent ist, oder[81] die Mönche seines Konvents – und dieselben alle sind Buben, Hurn etc., weder in Gottes Lehr noch Weg. Was ist die Ursach? Er hat sich geschieden vom Mönch und ihren Regulen und Leben, wie Matthäus und Zachäus von Zöllnern[82] und von solchem Bubenvolk. Darum so folgt nit, daß Matthäus sollt ein Bub sein, darum daß er ein Zöllner gewesen wär. Folgt auch nit, daß die Zöllner darum recht haben, darum daß Matthäus einer gewesen ist. Das folgt aber, daß ein jedlicher sein Bürde trägt. Also nimmt Gott oft einen aus einem Kloster in die Wildnis, wie Meinradum, und zeichnet[83] öffentlich mit den Wunderzeichen, daß er selig und heilig ist, wie mit Maria Magdalena, wie mit Matthaeo etc. Wo das geschieht, ist es gleich, als sprech der Sohn Gottes: „Da ist ein Sünder und ein verlorn Schaf gefunden[84]." Das steht hinten in der Kirche[85] und spricht: „Ach Herr, ich bin nit würdig, daß ich mein Augen aufhebe zu dir[85] oder daß du gehest unter mein Dach[86]" etc. Und die andern, seine Konventor[87], sind da vornen in der Kirche und sprechen: „Wo sind wir wie die verlornen Mönche dahinten? Wir beten unser Zeit, wir fasten, wir singen etc. und geben Gott, was ihm zugehört[88]." Also laß sich niemand verwundern, wenn schon ein Mönch gen Himmel kommt und zeichnet[83], und die andern verdammt werden. Gott ist wunderbarlich in seinen Werken. Er nimmt ein reuigs, demütigs Herz allemal an.

Also wo solche Zeichen durch Gott geschehen, sind [sie] anzunehmen. Denn sie sind der Bösen große

---

80. Vgl. Luk. 7, 47.   81. aber.   82. Vgl. Matth. 9, 9 ff.; Luk. 19, 1 ff.   83. zeigt, demonstriert, tut Wunderzeichen.   84. Vgl. Luk. 15,6.   85. Vgl. Luk. 18, 13.   86. Vgl. Luk. 7, 6 f.   87. Konventer, Mitbrüder im Konvent (Kloster).   88. Vgl. Luk. 18, 11 f.

Schand, daß sie Gott nit auch so lieb sind im höchsten Gut und auch also zeichnen[83]. Dabei erkennt man aus den Früchten, welches die Seligen sind. Die Frucht geben, sind selig. Gott stellt sein Licht auf, daß wir's auch sehen. Die nit Frucht geben, tun nichts. Da stellt Gott [ebenso] ein Licht auf, daß wir's auch sehen. Darum sollen wir im seligen Leben das höchst Gut aus unsern Herzen nit lassen und im selbigen wandlen, und nit achten, daß wir für Sünder geacht't werden oder für offen Sünder und die auch sind. Ist uns nützer, offen für Sünder zu sein als pharisäisch. Und was wir tun — aus großer Liebe und mit voller Liebe, mit der Vollkommenheit, wie unser himmelischer Vater im Himmel gegen uns vollkommen braucht, ohn allen Abbruch, also sollen wir gegen einander vollkommen auch sein[89], ohn allen Abbruch gegen unsern Nächsten, voraus gegen Gott, ohn Gebresten und in reuigen, demütigen Herzen wandlen und handlen.

Denn wir sind einer ungewissen Stund, warten, wann uns der Tod fresse. Auf daß wir wohl gefunden werden und sterben in dem Herrn, sollen wir allzeit ohn Unterlaß das höchst Gut in uns haben, auf daß es auf uns gehe und wirk. Denn also ist der Weg zu dem seligen Leben, nach diesem irdischen. Und hie auf Erden nicht suchen, das unser höchsts Gut sei, und auch nit suchen, das uns möchte vom höchsten Gut ändern[90] oder entsetzen[90]. Denn der am Todbett liegt, und ist hundert Jahr alt, wie ist ihm anders, denn als sei er erst gestern kommen? Der liegt und betracht't sein Sünd, sein Reichtum, sein Wollust, und alles das mißfällt ihm zu der Stund. Und an der Stund der Rechnung, so wirft er's alles von ihm, übler und verschmählicher, als ein Kraut zu dieser Zeit hingeworfen wird. So nun der Mensch [das] bedächte, dieweil er's braucht, so würd er diesen Dingen nicht nachstellen, sondern

89. Vgl. Matth. 5, 48.   90. abbringen.

[sie] von ihm werfen. Denn es kommt die Stund, und die Zeit wird kommen, daß wir alle werden erkennen Gut und Bös, was ihr beider Belohnung sein wird. Do wird der Falsche, der Ungerechte gerochen[91] und der Selige und Gute belohnet in das Ewige; das uns das höchst Gut (das Christus ist) erlangt hat, das uns bereit't ist, sein und unsers himmlischen Vaters da ohn End ewig zu sein und in dem Angesicht Gottes zu wandlen, unter welchem kein Args, kein Übels ist, kein Winter, noch rauhe, aquilonische[92] Luft, sondern alle Milde, die niemand kann aussprechen.

91. bestraft.   92. nördliche.

II. DER ARZT

a) Arzt und Gott: Der Arzt ist der, der da öffnet die Wunderwerk Gottes männiglichen. — Das ist zum höchsten einem jeden Arzt zu ermessen, daß er in allen seinen Dingen ein Christ bleibe ... und Gott fürsetze für unsern höchsten Vater. — Darum ist vonnöten, daß man da einen Unterschied halte zwischen den Ärzten, die unter dem Gesetz Gottes wandeln, gegenüber denen, die wandeln unter dem Gesetz des Menschen. Der eine dienet in die Lieb, der andre in den Eigennutz.

b) Mitmenschliche Liebe: Das Höchste, das wir Ärzte an uns haben, ist die Kunst; nachfolgend, das dem gleich ist, ist die Liebe ... Der höchste Grund der Arznei ist die Liebe. — Helfen aber, nutz sein, erschießlich[1] [sein], ist des Herzen Amt. Im Herzen wächst der Arzt, aus Gott geht er, des natürlichen Lichts ist er, der Erfahrenheit. — Darauf merket, daß nichts ist, wo größere Liebe von Herzen gesucht wird denn in dem Arzt. — So wisset hierauf, daß ein Kranker Tag und Nacht seinem Arzt soll eingebildet[2] sein, und [er soll] ihn täglich vor Augen tragen, all sein Sinn und Gedanken in des Kranken Gesundheit stellen mit wohlbedachter Handlung.

c) Gründliche Sachkenntnis: Ein Arzt soll der Höchste, der Beste, der Begründetste sein in allen Teilen der Philosophei, physica und Alchimei. Und in den allen soll ihm nichts gebrechen. Und was er ist, das soll er mit Grund sein, mit Wahrheit und höchster Erfahrnis. Denn unter allen Menschen der Natur ... ist der Arzt

---

1. nützlich, ersprießlich.   2. eingeprägt.

der höchste Erkenner und Lehrer, darnach ein Helfer
der Kranken. — Also, ihr Ärzte, was ist uns nütze der
Nam, der Titel, die hohe Schul, so wir nicht die Kunst
auch haben? Die Kunst machet den Arzt, nicht der
Name noch die Schul. Was ist uns nütz, daß wir großes
Ansehen und großen Pomp führen, so wir die Kunst
nicht können?

2. DIE FÜNF ENTIEN

a) Grundlagen: Du sollst wissen, daß alle Krankheiten
in fünferlei Weg geheilt werden. Und [wir] heben also
an unser Arznei bei der Heilung und nicht bei den Ursachen, darum daß uns die Heilung die Ursach anzeigt.
b) Ens astrale: So wir euch das ens astrale beschreiben
sollen, ist uns anfänglich am nötigsten zu betrachten
die Natur, das Wesen, Gestalt, Form und Eigenschaft
der astra . . . Ihr sagt, daß der Himmel den Körper
macht, das ist: das astrum. Welches nit ist. Der Mensch
ist einmal geschaffen corporaliter und weiter formiert
in nichts denn allein ens seminis, ohn alle Gestirne. —
Ihr sollt verstehen, daß das Firmament und die astra
so viel verordnet sind, daß die Menschen und die empfindlichen Dinge ohn sie nicht sein können, aber sie
werden nicht durch sie. — Sie sind frei für sich selbst,
und wir frei für uns selbst. Nun merket aber, daß wir
ohn das Gestirn nicht leben können. Denn Kälte und
Wärme und das Digest der Dinge, die wir essen und
gebrauchen, kommt von ihnen. — Nun auf die Anzeigung . . . so merket ein Exempel, wie die Dünste der
Planeten uns schaden . . . des wir in Krankheit und in
Tod kommen.
c) Ens veneni: So erzeigen wir euch das ens veneni,
welches das andere ist, das uns unsern Leib kränket . . .
Der Leib ist uns ohne Gift gegeben und in ihm ist kein
Gift. Aber das, das wir dem Leib müssen geben zu sei-

ner Nahrung, im selbigen ist Gift. — [Ein jedes Geschöpf] hat im Leib den, der dies Gift sondert von dem, das der Leib an sich nimmt. Dies ist der [innere] Alchimist . . . Dieser Alchimist wohnet im Magen, welcher sein Instrument ist, darin er kocht und arbeitet . . . So also die Speis, das ist das Fleisch, in den Magen kommt, alsobald ist der Alchimist da und scheid't da das, das nit zu der Gesundheit gehört des Leibs. — So der Alchimist bresthaftig ist, daß das Gift nicht kann nach vollkommener künstlicher Art vom Guten geschieden werden . . . — dasselbige ist das, das uns anzeigt die Krankheit der Menschen.

d) Ens naturale: Wir . . . zeigen an ein ens naturale, welches das dritte ist nach unserm parenthesi, aus welchem eine jedliche Krankheit geboren kann werden . . . Also sollt ihr uns verstehen, wie wir microcosmum auslegen. Wie der Himmel ist an ihm selbst mit all seinem Firmament, Konstellationen, nichts ausgeschlossen, also ist auch der Mensch konstelliert. — Das Herz ist die Sonn. Und wie die Sonn wirket in die Erden und ihr selbst, also wirkt auch das Herz dem Leib und ihm selbst. Und ist es nit der Schein wie der Sonnen, so ist es der Schein des Leibs, den der Leib bedarf, daß ihm das Herz Sonne genug ist. Also der Mond auch sich wie das Hirn vergleicht und das Hirn wie er; im Geist, aber nit in der Substanz.

e) Ens spirituale: Aber uns zu erklären das ens spirituale: ist auch eine vollkommene Gewalt, die da zu kränken hat[1] den ganzen Leib und den zu verwandeln in alle Krankheiten. — Gedenket: wenn der spiritus leidet, so leidet der Leib; denn er erzeigt sich im Leib.

f) Ens deale: De ente dei: . . . ihr wisset, daß alle Gesundheit und Krankheit von Gott kommt, und nichts vom Menschen. Und ihr sollt die Krankheiten der Menschen teilen in zween Weg, in den natürlichen und

1. krank machen kann.

in flagellum[2]. Der natürliche ist das erste, andere, dritte und vierte ens; das flagellum ist das fünfte. Das merket wohl, daß Gott uns gesetzt hat die Straf, das Exempel, das Anzeigen in unsern Krankheiten, daß wir sehen sollen, das all unser Sach nichts ist.

3. Die Säulen der Medizin

a) Grundlagen: Will ich nun den Grund in der Arznei führen, so muß ich mir die Dinge fürnehmen, die den Grund geben. Auf das werd ich gezwungen, allen Grund aus der Philosophei, Astronomei und Alchimei zu setzen.

b) Philosophie: Nun liegt die Philosophei in dem, daß allein der Krankheiten Art, materia und Eigenschaft mitsamt deren allen Wesen verstanden werden aus ihr . . . Denn aus der Natur kommt die Krankheit, aus der Natur kommt die Arznei, und aus dem Arzt nicht.

c) (Mikrokosmische) Astronomie: Von der astronomia: So nun der Mensch in seiner Zusammensetzung soll ganz fürgenommen werden, so wisset hierin erstlich die Statt zu erkennen, wie ihr die corpora des Firmaments sollet verstehn im Leib microcosmi. Denn die astra im Leib nehmen ihr Eigenschaft, Art, Wesen, Natur, Lauf, Stand, Teil gleich den äußern, allein in der Form geteilt[1], das ist: in der Substanz. — So ist auf das zu wissen, daß im Menschen der junge Himmel liegt. Das ist: alle Planeten haben im Menschen ihre gleiche Ansehung[2] . . . Denn der Mensch ist nach Himmel und Erden gemacht, denn er ist aus ihnen gemacht. — Darum, der da weiß des Regens Ursprung, Herkommen, Wesen und Art, der weiß auch das Herkommen der Bauchflüsse, der lienteriae, dysenteriae, diarrhoeae[3],

2. Geißel, Strafe.
1. unterschieden.   2. ihr entsprechendes Gegenstück.   3. Arten von Ruhr und Durchfall.

weiß auch in den Dingen allen ihre Notdurft und Eigenschaft.

d) Alchimie: Nun weiter zum dritten Grund, darauf die Arznei stehet: ist die Alchimei. Wo hierin der Arzt nicht bei dem höchsten und größten geflissen und erfahren ist, so ist es alles umsonst, was sein Kunst ist. — Nicht, wie die sagen, alchimia mache Gold, mache Silber. Hie ist das Fürnehmen: „Mach arcana, und richte dieselbigen gegen die Krankheiten!" . . . Hierin liegt der Weg der Heilung und Gesundmachung. Solches alles bringt zum Ende die Alchimei, ohne welche die Dinge nicht geschehen können.

e) Ärztliches Ethos: Ob ich nicht billig die Redlichkeit eines Arztes auch lasse einen Grund sein und eine Säule der Arznei? — Nicht weniger soll er auch eines guten Glaubens sein. — Also soll der Arzt rein und keusch sein.

4. Die Methode der Erfahrenheit

a) Lernen und erfahren: So Christus spricht: „perscrutamini scripturas", warum wollte ich nicht auch sagen davon: „perscrutamini naturas rerum". — Die Geschrift wird erforscht durch ihre Buchstaben, die Natur aber durch Land zu Land. Als oft ein Land, als oft ein Blatt. Also ist codex naturae; also muß man ihre Blätter umkehren. — Habt Fleiß, ihr Ärzte! Lernet, lernet!

b) Erfahrenheit: Woraus soll der Arzt reden, als aus der Natur, wie sie ihn lehret? — So ist vonnöten, daß ein Arzt eine große Experienz habe. Nicht allein was im Buche stehet, sondern die Kranken sollen sein Buch sein.

c) Empirisch und rational: Experimenta ac ratio!

a) Sinnlosigkeit der medizinischen Scholastik: Die
Arznei [ist] . . . befinstert worden und gefallen in die
Widerärzte und also mit Personen und Sophistereien
hin und wieder verhaspelt worden, daß dahin in das
Werk niemand hat können kommen, in welches Ma-
chaon und Hippokrates gekommen sind . . . [Daraus]
entspringt das Irrsal, daß der Hippokrates ein Geschwätz muß sein, und der Geist der Wahrheit in der
Arznei muß von den Sophisten ein Klapperer werden.
— Darum kann sich der Arzt des nicht behelfen, der da
spricht: „Ich behelf mich der Bücher, die vor zweitau-
send Jahren geschrieben sind." Es sind nimmermehr die
selben causae. Es beißt jetzo baß! — Betrachtet, was
großer Zeit Verzehrung das sei, daß ihr die großen
Schwaderlappen Jacobi de Partibus, Gentilis, Trusiani,
Hugonis, Mesuae, Azararii, Avicennae, Galeni, Rasis,
Montagnanae und anderer, deren Werk ein Schand zu
nennen ist und ihrer zu gedenken, [lest]. Was nutzt
euch auch, daß ihr euch befleißet viel rhetorischen Ge-
schwätzes, das doch keinen Arzt machet, sondern zerbricht? Was sucht ihr in der Logik und in eurer Dialektik,
die alle dem Arzt zuwider sind und [eine] Hinderung
des Lichts der Natur?

b) Neue Terminologie: Mir ist auch entgegnet [wor-
den], daß ich den Krankheiten neue nomina gebe, die
niemand erkenne noch verstehe; warum ich nit bleib
bei den alten nominibus? Wie kann ich die alten nomina brauchen, dieweil sie nicht gehen aus dem Grund,
aus dem die Krankheit entspringt; sondern es sind nur
Übernomina . . . Mich bekümmert das allein, den Ursprung einer Krankheit und seine Heilung zu erfahren
und den Namen in dasselbige zu konkordieren.

a) Die wahren Ärzte und die scholastischen Ärzte: Mich
haben die galenischen und avicennischen Sekten[1] einen
haereticum geurteilt. Und daß ich soll und schuldig sei,
von den pseudomedicis ein solches zu erdulden — das
die Billigkeit nicht auf sich trägt! . . . Das ich aber
handele und das mein Pflug[2] ist und das donum, das
mir Gott gegeben hat, [das] ist vonwegen der Kranken Nutz . . . [So] hab ich wider meine osores und
aemulos, die mir die Gab, die mir Gott gegeben hat,
versperren wollen mit ihren Scheltworten, wie denn
die Eigenschaft in lingua dolosa ist — hab ich vonwegen der Wahrheit wider dieselbigen meine Schirm-
red aufzurichten und vor männiglichen schriftlich,
öffentlich zu verantworten vermeint.

b) Not der Wahrheitssucher: Die [Ärzte, die] hinter
dem Ofen sitzen, essen Rebhühner; und die den Künsten nachziehen, essen eine Milchsuppe. Die Winkel-
bläser tragen Ketten und Seide; die da wandern, vermögen kaum ein Zwillich zu bezahlen. Die in der
Ringmauer haben Kaltes und Warmes, wie sie wollen;
die in den Künsten — wenn der Baum nicht wär, sie
hätten nit einen Schatten.

c) Leibarzt und Wundarzt: So du willst ein Arzt sein,
gedenk, daß ihrer zweierlei sind: der Leibarzt und der
Wundarzt . . . Eine jegliche Krankheit, die vom centro
gehet in die Weite[3], ist zugehörig dem physico. Aber
die von Weite[4] in centrum gehet, ist zugeschlossen[5] dem
chirurgo.

---

1. D. h. die an Galen und Avicenna geschulten scholastischen Ärzte.
2. Gewerbe, Beruf.   3. nach außen.   4. von außen.   5. gehört
in die Zuständigkeit.

a) Ius iurandum Theophrasti: Das gelob ich: meine
Arznei [zu] vollfertigen[1] und nicht von der zu weichen, solang mir Gott das Amt vergönnt, und zu wider-
reden aller falschen Arznei und Lehren. Danach, daß
[ich] die Kranken [lieben] will, einen jeglichen mehr,
als wenn es meinen Leib antreffe. Den Augen nit zu
verlassen[2], darin [zu] richten nach seinem Erzeigen;
auch keine Arznei [zu] geben ohn Verstand. Kein Geld
ungewonnen[3] einzunehmen. Keinem Apotheker zu vertrauen . . . Nicht [zu] wähnen, sondern [zu] wissen.
Dergleichen keinen Fürsten [zu] arzneien, ich hab denn
den Gewinn im Säckel, keinen Edelmann auf seinem
Schloß, keinen Mönch, keine Nonn in ihrem Gewalt . . .
In der Ehe, wo Untreu gemerkt wird mit der Arznei,
es sei Frau wider den Mann oder er wider sie, beson-
dern Rat nicht zu haben in ihrer Krankheit. Geistlichen
in ihrer Krankheit nicht [zu] verhengen[4]. Wo Plag[5]
ist, fahren [zu] lassen. Wo die Natur versagt, nit weiter zu versuchen. Wer mir den Lidlohn[6] vorenthält,
meiner nicht würdig zu sein [zu] erkennen. Keinen
Apostaten[7], aber alle Sekten[8] sonst anzunehmen. Bei
den Ärzten nichts [zu] übersehen. Frauen Hilf selber
[zu] erzeigen . . . Das alles bei dem, der mich geschaffen hat, zu halten, gelob ich.

8. Neubegründung der Heilmittellehre

a) Arcanum (Innere Heilkraft des Medikaments): Die
Arznei an ihr selbst kann niemand sehen, denn es ist
ein unsichtbares Ding. Aber den Leib der Arznei, den
sieht man. — „Arcanum" ist alle Tugend des Dinges, mit

---

1. vollenden.   2. überlassen.   3. unverdient.   4. willfahren.
5. Gottesstrafe.   6. Arbeitslohn.   7. scholastischer Arzt.   8. übrige
medizinische Richtungen.

tausendfacher Besserung. — Warum es Arcanum heißt, ... verursacht das, daß das allein arcanum ist, das unkörperlich ist ... [Es] hat Macht, uns zu verändern, zu mutieren, zu renovieren, zu restaurieren.

b) Chemische Heilmittelbereitung: Alles Fürnehmen hie ist, daß der Grund der Arznei am letzten in den arcanis stehe ... Darum, so in den arcanis der Beschlußgrund liegt, so muß hie der Grund alchimia sein, durch welchen die arcana bereit't und gemacht werden. — So merket mich, wie ich die Alchimei so treffendlich für einen Grund der Arznei nehm ... Also sollet ihr auch hie verstehen in den Krankheiten, daß sie besondere arcana haben; darum so müssen sie besondere praeparationes haben.

c) Gift und rechte Dosierung: Der Gift verachtet, der weiß um das nit, das im Gift ist. Denn das arcanum, das im Gift [ist], ist gesegnet dermaßen, das ihm das Gift nichts nimmt noch schad't. — Alle Dinge sind Gift, und nichts ohn Gift. Allein die Dosis macht, das ein Ding kein Gift ist. — Ich nehme gleich, was ich woll, so nehme ich eben das, in dem das arcanum ist wider die Krankheit, wider die ich streite. Und merket weiter, wie ich ihm tu. Ich scheid das, das nit arcanum ist, von dem, das arcanum ist, und geb dem arcano seine rechte Dosis.

d) Mineralische Heilmitel: Antimonium hat allwege einen andern processum. So man mit ihm eine andere Krankheit kuriert, muß allwege anders präpariert werden. — Kein Ding heilet gründlicher die ulcera[1] et vulnera denn arsenicus, so er präpariert ist. — Vitriolum album est summum medicamen ... ad exteriora oculorum.

e) Mineralische Heilbäder: So wisset fürhin von den thermis, ... daß sie sind ein resolviertes Mineral ... Aus diesem folgt, daß die Tugend, Kraft und Eigen-

1. Geschwüre.

schaft derselbigen [Minerale] vollkommen in einem Wasser sind, darum daß es sich vergleicht demselbigen Metall, dadurch es läuft und die Art und Natur empfängt ... Solcher Bäder Art und Eigenschaft lob ich zu erkennen [und] wissen an einem Arzt. — [Es] sind etliche Bäder, ... die sonderlich in den spezifierten Krankheiten Kraft und Gewalt haben, dieselbigen zu vertreiben.

9. DIE „FRANZOSEN"

a) Die Syphilis als neue Krankheit: Nun merket weiter von den „Franzosen", wie sie an uns gelangt sind ... Hat sich verlaufen der Ausbruch ungefähr im 1480. Jahr.

b) Bedingtheit durch den Sexualakt: Venus ist dieser Krankheit eine Mutter. Darum so wisset, daß diese Krankheit und venerischer Einfluß keinen Menschen befleckt, der nicht verwilliget[1], das ist: [in] actionem mit voller Imaginierung und Begierlichkeiten sich einläßt. — Aus solcher Exaltation dieser anreizenden Natur nimmt der actus seinen Anfang und Wirkung. Alsdann so wisset, daß dieser coitus zu beiden Seiten eine Gebärung ist einer neuen Krankheit.

c) Syphilis als Umwandlung anderer vorhandener Krankheitssubstanzen: Also merket in diesen Dingen, daß die Franzosen kein corpus[2] mit sich bringen, allein liegende[3] corpora verwandeln in ihre Art. Das merk in dem Weg: ihr wisset, daß die Wassersucht mitsamt dem corpus im Leib liegt und hat die Materie der Aquosität im Leib ... Desgleichen Gelbsucht ihr besonderes corpus hat. Solches ist aber in den Franzosen nit. Darum so können sie nit ein gesundes corpus makulieren. Sondern allein ... aus denselbigen corporibus

1. willfahrt.   2. Krankheitsmaterie, -substanz.   3. schon vorhandene.

und Materien [anderer Krankheiten] verwandeln sie es in Franzosen ... Dieweil nun die Franzosen allein nur eine Krankheit ist, die da ihren Leib in andern Krankheiten sucht, so folgt aus dem, daß sie so mancherlei Art haben und nit einerlei gewisse Zeichen. — Denn im Grund sollet ihr männiglich wissen, daß kein Leib die französischen Blattern empfängt, allein es sei denn materia in demselbigen, welche zur Formierung der Blattern eine Art hab. Dieselbige, so sie von französischem Gift befleckt wird — französische Blattern erwachsen. Darum so nehmen die französischen Blattern ihr corpus von einer andern blatterigen materia und dieselbe Form und Gestalt, Schmerzen und dergleichen.

d) *Angeborene Syphilis:* Die, so von den Franzosen angegriffen sind worden — ist es in virtute generativa, das ist, daß die französische Materie sich eingemischt hat in die Konzeption, so erbt dasselbige Kind diese Krankheit und wird damit geboren.

10. Die Frau und ihre Krankheiten

a) *Die Frau als „kleinste Welt":* [Außer Makrokosmos und Mikrokosmos] ist noch eine Welt, und ist die kleinste Welt und ist matrix[1]. Dieselbige ist auch eine ... und ist geschieden von der kleinen Welt. Also der Mann ist die kleine Welt. Die Frau hat im selbigen ein Gebresten[2]; sie ist die kleinste Welt und ist ein anderes als der Mann und hat ihre andere Anatomei, theoricam, causas, rationes, curas. — Also kommen alle Eigenschaften der großen und kleinen Welt zusammen im Bauch der Frau.

b) *Frauenkrankheiten:* Nun die Frau ist ein anderes ... Daß sie aber anders ist als die Welt, als der Mann — anders ist auch ihre physica ... Denn sie hat ein

1. Gebärmutter.   2. Mangel.

anderes officium. Ein jegliches besondere officium scheidet die physica, theorica von der andern. Darum, obwohl die Frau hydropisin[3], icteritiam[4], paralysin[5], colicam etc. überkommt und gewinnt, der Mann auch — anders ist aber die Monarchei[6] über den Mann, anders über die Frau ... Und so weit dich matrix[1] lehrt, die Frau von dem Mann zu erkennen und zu haben, so weit sollst du auch ihre Krankheiten von des Mannes Krankheiten scheiden. — Zwo sind der Arzneien auf Erden: den Frauen und den Männern. — Darum ist nun billig, fürzuhalten der Frauen Krankheiten und Gesundheit in einer besonderen Monarchei[6], dieweil sie so weit von den Männern geschieden ist. Nicht allein der Brust halben, der Mutter[1] halben, menstrui halben, sondern auch von wegen des ganzen Leibes, der von der Brust wegen, der matrix[1] wegen, des menstrui wegen geschaffen ist.

11. BERUFSKRANKHEITEN

a) Berufskrankheiten bisher unbekannt: So die Erzleute, Schmelzer, Knappen und was den Bergwerken verwandt ist, es sei im Waschwerk, im Silber- oder Golderz, Salzerz, Alaun und Schwefelerz oder in Vitriolsud, in Blei-, Kupfer-, Zwitter-[1], Eisen- oder Quecksilbererz, welche in solchem Erz bauen, fallen in die Lungsucht, in Schwindung des Leibs, in Magengeschwür — dieselbigen heißen bergsüchtig. Darauf wisset, daß von diesen Krankheiten bei den alten Skribenten nichts gefunden wird. Darum sie denn bisher unbeschrieben geblieben ist, auch in der Heilung ausgelassen.
b) Entstehung der „Bergkrankheiten": Als ein Exempel: ich setz einen Bergmann, der sucht Silber ... Die-

3. Wassersucht.   4. Gelbsucht.   5. Lähmung.   6. Art, Seinsweise, Existenzbereich.
1. Zinnerz.

weil er das Erz sucht und [da]mit umgeht, so erlangt er seine Krankheit ... So er nun die Krankheit hat und nimmt dasselbige Erz, das er gehauen hat, und läßt das Silber darvon schmelzen, so find't er in dem, das darvon weicht, dasselbige, das ihn krank hat gemacht ... Darum so wisset, daß der Dunst, der von dem Erz gehet, hat derselben Gifte Art in ihm, die im Schmelzen von dem Silber weichen ... Als ein Exempel: so ein Arsenik eingenommen wird, so ist ein schneller, jäher Tod da. So aber das corpus[2] nicht eingenommen wird, aber sein spiritus, so macht es aus einer Stund ein Jahr lang. Das ist: was das corpus zuwegebringt in zehn Stunden, daran macht der spiritus zehn Jahre ... Und wisset hiebei auch, welcher da will die Bergkrankheiten in gewisse Erkenntnis fassen, derselbige muß wissen desselben corpus behende Krankheit und Tod mit allen Eigenschaften und Zeichen, so da aus demselben corpus werden.

12. Chirurgie

a) *Leibarznei und Wundarznei:* Nun sagt mir eins: wo ist eine Wundarznei, die nicht einen physicum[1] muß haben in ihrer Krankheit? Wo ist eine Leibarznei, die nicht durch einen chirurgicum muß und soll geheilt werden? ... Es heißt Leibarzt, der erkennt [den] Ursprung der Krankheiten; und heißt Handarznei, die führt die Praktik. In iudicando bist du ein physicus, in curando ein chirurgicus.

b) *Teilgebiete der Wundarznei (Wundchirurgie; Krebs; Haut- und Geschlechtskrankheiten; Syphilis; Geschwüre):* Ich hab mir fürgenommen, die ganze Wundarznei zu beschreiben, und sie geteilt in fünf Teile: den ersten in die Wunden, so von außen ankommen; den

2. Krankheitsmaterie.
1. Arzt für innere Krankheiten.

andern in die offenen Schäden; den dritten in die auswendigen Gewächse und Gebresten; den vierten in die französischen Blattern und Lähmungen, mitsamt ihren Schäden; und den fünften in die äußerlichen Geschwäre.

c) Wundheilung durch natürliche Heilkraft des Körpers (mumia): Ich sage, daß die Natur des Leibs, der den Schaden empfängt, ihre eigene Heilung an ihr trägt, gleich als in einem jungen Baum, der verwund't wird [und] durch sein eigen mumia wieder zuheilet ... Solches ist auch in den Menschen ... Wie gesagt wird, daß mumia die Wunden heilet, merk deutlich: mumia ist ein liquor, durch den ganzen Leib gespreit't, in allen Gliedern gewaltig.

d) Medikamentöse Wundbehandlung (Vermeidung überflüssiger Eingriffe im Zeitalter mangelnder Asepsis): Von Wundsalben zu schreiben, merket: ist nach aller Erfahrenheit die älteste Kunst, Wunden zu heilen. — Also sind auch bei den Alten in der Gemeine gefunden worden ... Wundöle und nachfolgend durch die Alchimisten die Wundbalsame. — Weiter haben sie ein Wundpulver gehabt. — Wie etliche Sublimate und Destillate wunderbarlich die Wunden heilen, ... so ist nun vonnöten, daß der Wundarzt in der Alchimei erfahren sei. — [Knochensplitter] gedenke durch die Wundarznei, wie gemeld't ist, herauszuziehen, und in keinem Wege mit Eisen oder Zangen darin grüblen[2]. — Die Chirurgei schwerlich setzen [wir]; und das in Treuen raten, daß keiner dieselbige soll brauchen, er sei denn der Chirurgei unterrichtet und unterwiesen durch eigne Erfahrenheit in allen Zufällen.

e) Narkotische Mittel: Nun aber eine kurze Regel will ich euch in gemein geben, daß alle sulphura von den vitriolatis salibus stupefactiva sind, narcotica, anodyna, somnifera ... Hie sollet ihr aber wissen von die-

2. herumstochern.

sem sulphur, daß unter allen der vom Vitriol am bekanntesten ist, daß er an ihm selbst fix ist. Zum andern hat er eine Süße, daß ihn die Hühner alle essen und aber entschlafen auf eine Zeit, ohn Schaden wieder aufstehen . . . Er sediert ohn Schaden alle dolores, . . . mitigiert alle grimmige Fürnehmen der Krankheiten, und ist eine Arznei, die in allen Dingen soll vorangehn und die Kur, das ist das Konfortativ quintae essentiae, hernach.

13. Steinkrankheiten (Tartarus)

a) „Tartarus" als Stoffwechselkrankheit: In allen Dingen ist Reines und Unreines bei einander, als Wasser und sein Letten[1], als Wein und seine faeces . . . Darauf wisset nun, daß das impurum ist der tartarum, von dem ich hie rede und schreib . . . Derselbige ist der morbus, von dem ich hie schreibe. — Darum so wisset, dieweil nun der Mensch essen und trinken muß solche corpora, die denn allein nutrimenta und remedia sind, wie dieselbigen sollen in seinem eigenen Leib verdauet und zerstört werden . . . Und dieweil der archaeus im Scheiden des Reinen vom Unreinen nicht allemal perfekt ist und wirket, so ist die Krankheit allezeit zu erwarten.

b) Betroffene Körperteile: Nun forthin wird vonnöten sein, dieweil die tartara genugsam erklärt sind, daß auch beschrieben werden die vasa, darin sich der tartarum ansetzt . . . Es sind bisher nit mehr als zwei Fässer angezeigt, in denen sich der tartarum ansetzt, als in Nieren und in der Blatter[2]. Nun ist solches nit genugsam gesucht noch verstanden. Denn der Enden und Orte sind viel mehr, da Fässer tartari sind. — Der Magen ist das erste; denn Ursach: es beweisen seine

---

1. Lehm, erdige Beimischung.   2. Blase.

tartarischen Krankheiten und daß im Magen tartarum
und faeces gefunden werden, die sich angehängt haben
. . . Zum andern so sind die intestina auch vasa tartari vonwegen der faeces . . . Ein jedliches Gefäß, in
dem der Harn sich halten kann oder durch das er
gehet, das sind alles vasa . . . Und in allen Höhlen des
ganzen Leibs kann sich der tartarus ansetzen. — Und
sind alles tartara, allein mit dem Unterschied, daß
sie einander nicht gleich geformt sind . . . Sie machen
auch andere dolores, geben auch andere aegritudines,
und [sind] doch alle tartari. Als denn ist in iuncturis,
[da] wird es schiatica[3], arthetica[4], podagra[5].

14. UNSICHTBARE KRANKHEITEN

a) *Natürliche Grundlage der Psychiatrie:* Dieweil wir
die natürlichen Krankheiten betrachten, wie viel und
[in] was Weg sie unsern Leib verkehren, wollen wir
unvergessen haben die Krankheiten, die da berauben
unsere Vernunft und uns die entziehen, zu erklären
ihren Anfang und Ursprung, dieweil wir durch die
Experienz erkennen, daß sie aus der Natur entspringen und wachsen. Und wiewohl die götterischen Ver-
weser[1] [die Ursache] von solchen Krankheiten bei
unsern Zeiten in Europa zulegen[2] den inkorporalischen
Geschöpfen und diabolischen Geistern, des wir zu glauben und zu halten noch nicht unterricht't sind.
b) *„Krankheiten, so uns der Glaube gibt“:* Bisher hab
ich allein traktiert die Kräfte und Stärke des Glaubens;
jetzt aber von einem andern Punkt des Mißbrauches.
Und ist also: . . . wenn wir haben eine Krankheit im
Land und fallen darauf, es sei eine Buß, Rach oder
Plag[3], so ist es denn [eine]. Und wiewohl es [eigent-
lich] natürlich ist, so macht sie doch der Glaub unnatür-

3. Ischias.   4. Gelenkrheumatismus.   5. Gicht.
1. Geistlichen.   2. zuschreiben.   3. Strafe.

134

lich, . . . und macht sie also, daß alle natürliche Hilf
da verloren ist. — So wollen wir doch hie in diesem
Kapitel nicht zulegen[4], daß die Heiligen Krankheiten
können geben; . . . als denn viele sind, die große Theologei daraus setzen und sie mehr Gott zulegen[2] denn
der Natur. Das ein unnützes Gesprech ist. Uns mißfällt das Geschwätz, hinter welchem keine Wahrzei-
chen sind, sondern allein Glauben. — Die Wiedertäufer
. . . in solchem Mißbrauch eines tollen Glaubens sich
selbst dahin glauben, daß sie auf ihre fürgenommene
Weise sterben und verderben.

c) Aufhebung der Bewußtseinsschwelle (Enthemmung):
So ein melancholicus [ein] maniacus[5] wird, der von
seiner Natur ein natürlicher melancholicus ist gewesen,
so inzendiert und reizet an die materia maniaca seine
alte Weis und Gebärd, die er in seiner Natur hat, dieselbige zu erzeigen . . . Denn mania ist eine Anzünderin
der heimlichen Gebärden und Eigenschaften der Menschen, die sie verborgen in sich haben.

d) Psychiatrische Erbkrankheiten: Solche fallenden
Krankheiten werden im Mutterleib geboren, da sie ihre
Wurzen setzen und den Kindern eingebildet werden
und mit ihnen aufwachsen.

4. vorgeben.   5. Wahnsinniger.

III. DER NATURPHILOSOPH

1. Der Ursprung des Kosmos

a) Gott als Schöpfer: Denn was ist die ganz Welt als
ein Zeichen, daß sie Gottes ist, und daß sie Gott gemacht hat? Als ein geschnitzelt Bild ein Zeichen ist seines Steinmetzers und Schnitzlers, also auch mit allen
andern Dingen hat Gott die Werk gemacht, und sind
Zeichen, daß sie Gottes Arbeit sind. — Alle Ding sind
gewesen unsichtbar bei Gott, die so jetzund sichtbar
sind, dieselbigen all, wie sie gewesen sind, sind gefaßt
in ein limbum[1], das ist in ein sichtig[2] corpus. Dasselbig
corpus ist die große Welt worden, und darnach aus ihr
der Mensch. Aus dem dann folgt, daß der Mensch nichts
kann als allein das, so [zu]vor gewesen ist. Darum
auch aus dem folgt, daß die Engel aller Menschen
Kunst und Notdurft wissen, auch die Teufel. Denn sie
sind aus dem limbo, daraus der Mensch gemacht ist
worden . . . Nun auf das folgt die ander Schöpfung
der Himmel und Erden, Luft und Wasser. Dieselbigen
sind aus diesen[3] gemacht, und das sie im Geist, in eng-
lischer Art etc. gehabt haben, ist in diese Globul und
Sphaer ausgeteilt. Zu gleicher Weis wie das Reich der
Himmel in sich selbst in seinen Tugenden[4], also auch
der Himmel in ein Austeilung geführt ist worden, corporalisch vom Englischen genommen.
b) Das Rezept der Natur: Wer ist, der da komponiert
hat das Rezept der Natur? Hat es nicht Gott getan?
Warum wollt ich ihm sein compositum verachten, ob
er gleich zusammensetzet, das mich nicht genug dünket?
Er ist der, in des Hand alle Weisheit stehet, und weiß,

1. Leib nach dem „Erdenkloß" (limus) von 1. Mos. 2, 7.   2. sichtbar.
3. näml. den guten und bösen Geistern.   4. Kräften.

wo er ein jegliches Mysterium[5] hinlegen soll. Warum will ich's mich dann verwundern oder scheuen lassen? Darum daß *ein* Teil Gift ist, den andern mit dem verachten?

c) Der Schöpfer der Sterne: Also hat nun Gott den Sternen den Lauf gegeben, daß sie geworfen werden von der Hand Gottes in den Kreis des ganzen Firmaments, ein jeglicher Stern in sein Kreis und Gang. Denn Ursache, daß sie nit feiern sollen, ist die, daß also im Abwesen eines andern Sternen, die andern ihre operationes auch haben mögen, also im Abwesen der Sonne die Nachtsternen auch erkannt mögen werden.

d) Gottes Haus: Also ist anfänglich zu wissen, vor dem und[6] die Philosophei angeht, daß Gott den Centrum seins Himmels vergänglich und sich selbst gemacht hat. Denn wie er leiblich ein Sohn geheißen wird, also ist die Welt sein Haus. Wie sie nun also geschaffen ist und geworden, ist zu wissen, daß sie nicht also hingeht, als [sie] herkommen ist, sondern da werden bleiben von Menschen das Herz und von der Welt das Geblühe.

2. DER STRUKTURELLE AUFBAU DER WELT

a) Das Weltenei: Also ist der Himmel ein Schalen, der die Welt und den Himmel scheidet, gleich als ein Schalen das Ei, und das außen ist[1]. Und ist ein Haut, in der die ganze Welt ein corpus ist, und darin die Erden gefaßt und behalten wird. — Und zu gleicher Weis wie der Dotter im Ei vom Clar[2] gehalten wird, daß er die Schal nicht anrühret, also hält der Chaos[3] die Globel[4], daß sie nicht fallt auf kein Ort. Dieser Chaos ist unsichtbar und grün zu scheinen, und ist der unbegreif-

5. Schöpfungswerk nach seiner einwohnenden Kraft.   6. bevor.
1. D. h. das außerhalb Liegende.   2. Eiweiß.   3. Luftraum.
4. Erdkugel.

lich Clar und Albumen[2], und hat aber die Kraft, daß
er hebt, daß die Erden abstatt[5] nicht rücken kann . . .
Als ein Schiff auf dem See enthalten[6] wird, also wird
das auch enthalten. Das ist das groß Albumen, der
wunderbarlich Clar, der da trägt ein solch Globel, Erden und Wasser, und ist unsichtbar.

b) *Erhaltung der Welt:* Denn da ist die recht Geogra-
phei, Kosmographei und Geometrei. Durch die elementische Geometrei der Luft werden die Gebäu erhalten
des Feurs, das ist Sonn und Mon und alle Stern, der
Erden Bäum und dergleichen, des Wassers Mineren[7]
und anders. Da ist der recht Grund aller Geometrei,
in welcher Linien der Mensch steht und darin ge-
schwinde zu dem Himmel sieht. Dieser Geometrei ist
allein Gott der Meister, der Steinmetz und der Geo-
meter.

c) *Die Bewegung der Sterne:* Die Sterne aber müssen
nicht stille stehen, sondern sie müssen fürgehen ihren
Zirkel. Darum so sind sie Kugeln, die da für und für
walzen und wallen, wie sie von der Hand Gottes geworfen werden, und sind also vom Himmel geschieden,
und doch im Himmel.

d) *Die Erde im Weltenozean:* Zu ringsweis um uns ist
Wasser, also daß wir nit können von der Erden. Da
müssen wir bleiben, so haben uns die Wasser umgeben
und umgemauert.

e) *Gott im Zentrum des sphärischen Kosmos:* Darum
wie ein Punkt in Mitten seines Zirkels steht, also steht
Gott in Mitten aller seiner Kräften, aller seiner Tugenden und aller seiner Heiligen.

5. hinweg.   6. gehalten.   7. Adern; aus Wasser ausgeschiedene
Minerale.

a) Corpora und Species: Als nun Gott hat wollen die Erden schaffen und in seiner göttlichen Weisheit dieselbige fürbetracht't, wie und in was Wege sie sein solle, hat er sie geteilet in vier Teil, also daß da sind vier corpora[1], welche vier corpora Mütter sollen sein aller der Dingen, so dem zugehörig sollten sein, den er nach seiner Bildnis schaffen würde, das ist Adam, das ist der Mensch. Da nun das Fürnehmen also in Gott beschlossen ist worden, da sind die vier corpora geschaffen worden, nämlich Himmel, Erde, Wasser, Luft. Denn als die Geschrift sagt, so hat er am ersten den Himmel geschaffen, dem nach die Erden, nachfolgend die andern dergleichen. — Nun sollt ihr aber wissen, daß alle vier corpora der vier Elementen gemacht sind aus nichts, das ist allein gemacht durch das Wort Gottes, das ‚fiat‘ geheißen hat. Wiewohl aber dem also ist, so ist doch das Nichts, aus dem etwas worden ist, zu einer Substanz und corpus worden, wie sie dann erscheinen. Dasselbige corpus aller vier Elementen ist in drei Species geteilt, also daß das Wort ‚fiat‘ ist worden ein dreifach corpus, das ist geteilt in dreierlei corpora. Denn also ist die Erden drei Teil, das ist dreierlei, das Wasser auch dreierlei in seinem corpus, dergleichen die Luft, dergleichen der Himmel. — Der Ursprung dieser Zahl ist aus Gott am ersten, das ist: der Anfang ist drei in der Gottheit. Nun ist das Wort auch dreifach gewesen, denn die Trinität hat's gesprochen, und das Wort ist der Anfang Himmels und Erden und aller Kreaturen.

b) Prima Materia: Nun sind die drei ersten Stück, nämlich ignis, sal und balsamus. Das sind drei Ding, und ein jeglichs corpus ist aus den dreien, nicht allein die Elementen, sondern auch ihre Früchte, so von ihnen kommen. Als nämlich die Erden ist in ihrem corpus

---

1. elementare Materien.

dreifach, Feur, sal und balsamus, und was aus ihr
wächst, das ist auch in drei Species dergleichen: als ein
Baum, des corpus ist ignis, sal, balsamus, also der Kräuter auch. Also ist das Wasser, ist auch ignis, sal, balsamus, und was vom Wasser wächst, ist dergleichen nichts
als ignis, sal, balsamus. — Nun sollet ihr wissen, daß
diese drei ersten, Feur, sal und Balsam, wohl mögen
mit andern Namen auch genennet werden, wie ich in
der Philosophia melde: als Feur ‚sulphur‘, als sal ‚Balsam‘, als liquor ‚mercurius‘. Das wär: sulphur, balsamus und mercurius sind die drei, die da geheißen werden prima materia rerum.

4. DER ABLAUF DER WELT — METEOROLOGISCHES GESCHEHEN

a) Die Luft als Lebenselement: Die Luft kommt vom
höchsten Gut und ist gewesen vor allen Geschöpfen
das allererst, demnach sind ander Ding geschaffen worden. Das Firmament lebt der Luft, und all Kreatur . . .
Denn das Firmament wird erhalten durch die Luft wie
der Mensch. Und ob schon alle Firmament still stün-
den, [den]noch ist die Luft. So aber die Welt unterging
in diesem Stillstehen, so ist das die Ursachen, daß das
Firmament kein Luft hätt . . . Alsdann wär es ein Zeichen, daß der Mensch auch aus müßt sein, alle Element
zergingen, denn sie stehen alle in der Luft, das ist
Mysterium Magnum[1].
b) Werden und Vergehen der Sterne: Nun so wisset
auch von den Sternen ein solchen Verstand[2]. Sie sind
aus dem Himmel gewachsen und stehen im selbigen
fliegendweis wie ein Vogel in der Luft, nach der Ordnung und Zirkel, wie sie Gott geschaffen hat . . . Nun
sind sie einmal gewachsen und bleiben also für und
für. Die Bäum und Früchte der Erden zergehen und

1. Schöpfungswerk mit einwohnender Wirkmacht.   2. Bedeutung.

werden wieder, die Sterne aber zergehen nur einmal und kommen nimmer wieder, das ist im End der Welt. Sonst, was in andern Elementen liegt, das selbige frißt alles der Rost, die Schaben, der Tod, als allein die Sterne des himmlischen Elements, die bleiben. Aber ihre Früchte kommen und vergehen, als Regen, Schnee etc.

c) *Annus Platonis:* Dieweil der Mensch dem Tod unterworfen ist und den kleinen Jahren, und sein Leben kurz, und ein wenigs Zeit, so muß da vonnöten sein, daß er der Zerbrechlichkeit seins Firmaments und Elementen Zerbrechung unterworfen sei. Und das sei durch ihn selbst, daß die äußern Ding Zerbrechung annehmen. Denn wo das nit wär, so blieb er mit der Welt und lebte im anno Platonis, das sich endet mit Sonn und Mon und mit der Zergehung aller Elementen.

d) *Die Früchte des Himmels:* Der [Himmel] ist das klarste Element, und ist doch ein corpus[3], denn seine Frücht sind corpora, als Regen, Schnee, Schauer, Strahl[4] etc. Wo nun kein corpus ist, da wird keins geboren, da es aber ist, da wird es geboren. Nun sieht man das corpus vom Strahl[4], daß es ein corpus ist, als wohl als Holz, das von der Erden ist. Aber so viel weiter sind sie voneinander, soviel die Elementen voneinander sind. — Wie ihr sehet, daß von den Bäumen die Früchte gehen, und daß die Natur an dem Ort ein Eigenschaft ist und ein Wesen, das ist ein geschöpfte[5] Gabe, daß *der* Baum Birnen trägt, der andere Äpfel, der ander Nüsse etc. — also in solcher Eigenschaft stehen auch die Sterne. Also daß einem Stern geben ist der Regen, dem andern der Schnee, dem andern der Hagel etc., und also alles, das vom Himmel kommt, in solcher Gestalt geboren wird.

---

3. Materie, etwas Leibhaftes.   4. Blitz.   5. geschaffene.

a) Geisterarten: So ist auch weiter zu wissen, daß der Geister vielerlei sind ... Die spiritus coelestes sind die Engel und die besten Geister. Die spiritus infernales sind die Teufel. Die spiritus humani sind der gestorbenen Menschen Geister. Die spiritus ignis sind die Salamander. Die spiritus der Luft sind die silvani. Die spiritus aquatici sind die nymphae. Die spiritus terrae sind die ... pygmaei, Schrättlein, Bützlein, Bergmännlein.

b) Elementargeister: So wisset ... die vier Geschlecht der Geistmenschen, als nämlich von den Wasserleuten, von den Bergleuten, von den Feuerleuten und Windleuten, ... die wir als Menschen ansehen zu sein, und doch nicht aus Adam, sondern eine andere Schöpfung und Kreatur, geschieden von den Menschen und von allen Tieren. — Wie ein Geist und der Mensch gegen einander zu erkennen sind und zu erwägen, also sollet ihr die Leute erkennen, von denen ich hie schreib, mit dem Unterschied aber von Geistern geschieden, daß sie Blut und Fleisch und Gebein haben ... Darum sind sie gleich den Geistern in Geschwindigkeit, gleich dem Menschen in Gebärung, Gestalt und Essen. Und also sind sie Leute, die Geistart an sich haben, darbei auch Menschenart, und ist doch *ein* Ding.

c) Lebenselement (Chaos) der Elementargeister: Ihre Wohnungen sind viererlei, das ist nach den vier Elementen: eine im Wasser, eine in der Luft, eine in der Erden, eine im Feuer. Die im Wasser sind Nymphen; die in der Luft sind Sylphen; die in der Erden sind pygmaei, die im Feuer salamandrae ... Wiewohl von Wasserleuten undina der Nam auch ist, und von den Luftleuten silvestres, und von den Bergleuten gnomi und vom Feuer mehr vulcani als salamandri ... Nach dem Exempel versteht die Undenen, daß sie im Wasser wohnen. Und das Wasser ist ihnen gleich gegeben wie uns die Luft ... Also ist's mit den gnomis in den

Bergen: die Erden ist ihre Luft und ist ihr chaos. Denn im chaos lebt ein iegliches Ding . . . Nun ist die Erden nicht mehr als allein chaos den Bergmännlein. Denn sie gehn durch ganze Mauern, durch Felsen, durch Stein wie ein Geist.

6. Der Mensch als Glied der Natur

a) Geburt und Tod im Naturgeschehen: So ein Mensch sterben soll, so zerbricht sein Gestirn vorher, das ist sein Aszendent[1], sein figura coeli. Denn über das, so der Himmel stehet an sich selbst an seiner Figur, so ist noch ein ander Himmel, in dem er stehet mit allem seinem Wesen. So nun der Mensch sterben will, so geschieht's nicht ohne große Not, also daß, bis daß derselbig Himmel auch zerbricht, denn sein figura coeli zerbricht mit ihm, zergeht mit ihm, wird auch mit ihm, in welcher Figur die Vorboten laufen. Soll ein Mensch werden, so wird auch sein gestirnter Geist mit ihm. Alles, das in dem Menschen ist, wird mit ihm und bricht mit ihm, in ihm und außerhalb ihm. Geschieht auch nicht ohne große Freude und ohne Vorboten, wie ein Mensch geboren wird oder ihm zu soll stehen[2], dann freuet sich auch das ganze Firmament. Und wie Fröhlichsein beim Menschen sein sonder[3] Wesen hat, also auch beim Gestirn; wie Traurigsein beim Menschen auch ein sondere Art hat, dabei Traurigkeit erkannt wird, also ist es auch in dem Gestirn.
b) Himmel und Erde im Menschen: Denn also hat Gott den Menschen geschaffen, daß der Mensch, Himmel und Erd vereinigt sind, und daß das Licht der Natur dem Himmel befohlen [ist], und der Mensch, dasselbig von ihm zu empfangen.

---

1. Gestirnskonstellation bei der Geburt.   2. Wenn es ihm bevorsteht.   3. besonderes.

a) Der Mensch als Mikrokosmos: Denn der die groß
Welt hat gemacht, der hat am letzten aus dem limbo[1]
den Menschen gemacht, und also sind beide Welten gemacht worden. Der die Wind und die Meer, Sonn, Mon
etc. geben hat in'n Himmel, der hat's auch geben in'n
Menschen und gesagt: das bist du etc. Also hat der
Schöpfer, der die Welt gemacht hat, bewährt[2] sein
Güte. — Dieweil nun Gott von den Dingen genommen
hat einen Leib, aus dem er den Menschen gemacht hat,
. . . so ist dieselbige massa gewesen ein Auszug aus
allen Geschöpfen in Himmel und Erden . . . Nun in
solcher Gestalt ist ausgezogen aus allen Kreaturen,
allen Elementen, allen Gestirnen im Himmel und Erden, von allen Eigenschaften, Wesen, Natur, Art, Wandel etc. dasjenige, das am subtilesten und am besten gewesen ist, und ist zusammengezogen in *eine* massam.
Aus der massa ist der Mensch gemacht. Aus dem nun
folgt, daß der Mensch ist die kleine Welt, das ist microcosmus . . . Und allein in dem ist der Unterschied zwischen der großen Welt und dem microcosmo, . . . daß
der Mensch in eine andere Form, Bildnis, Gestalt und
Substanz geordnet und geschaffen ist, also daß seine
Erde im Menschen Fleisch ist, sein Wasser ist Blut, sein
Feuer ist seine Wärme, seine Luft ist sein Balsam.
*b) Der Makrokosmos im Menschen — Mensch und Ge-
stirn:* Nun ist aber bei den Engeln kein Gestirn, allein
Gott, in den alle Ding gehen, und aus dem allen Kreaturen das ihrig fließt. Aber bei dem Menschen ist das
Gestirn. Das Gestirn bedeut't nit Gott, sondern die
Wesen der Engel: denn die guten bedeuten gut Engel,
die bösen bedeuten bös Engel. Also nimmt nun der
Mensch die englisch Art an sich aus dem Himmel, und
ist wie der Himmel. Der die Engel kennt, der kennt

1. „Erdenkloß" (limus), d. h. Summe der kosmischen Kräfte, nach
1. Mos. 2, 7.   2. bewiesen.

die astra. Der die astra kennt und weiß den horoscopum, der weiß, der kennt alle Welt, der weiß nun den Menschen und den Engel zusammenzusetzen: *der* ist der Lucifer auf Erden, *der* ist Jupiter im Himmel, und also von den andern.

8. Gestirn und Metall

a) Neu entdeckte Metalle: Gold, Silber, Eisen, Kupfer, Blei, Zinn, diese sind am Tag für Metalle erkannt. Weiter sind nun auch etliche Metalle, die nicht [in] der Geschrift, in der Philosophei der Alten oder in der Gemeine erkannt sind, und doch Metalle. Als das Zink, das Kobalt . . . Deren sind noch viel mehr, die mir auch nicht bekannt sind. Denn da sind vielerlei Arten, in Markasiten[1], in Wismut, in andern Kachimien[1], die Metalle geben. Niemand weiß aber, was für Metalle.
b) Gegen Gleichsetzung Planet-Metall: So ist auch nichts auf das zu halten, das man sagt, sieben Planeten, also auch sieben Metalle . . . Wie sie es vergleichen, so soll Gold die Sonn sein, Silber der Mond, Kupfer Venus, Saturnus soll Blei sein, Jupiter soll Zinn sein. Nun reim dich, Bundschuh!

9. Signaturenlehre

a) Äußere Zeichen zeigen innere Eigenschaften an: Die Natur zeichnet ein jedliches Gewächs, das von ihr ausgeht, zu dem, darzu es gut ist. Darum wenn man erfahren will, was die Natur gezeichnet hat, so soll man's an dem Zeichen erkennen, was Tugenden im selbigen sind. Denn das soll ein jedlicher Arzt wissen, das alle Kräfte, die in den natürlichen Dingen sind, durch die

---

1. verschiedene Minerale.

Zeichen erkannt werden. Daraus denn folgt, daß die Physiognomei und Chiromanzei der natürlichen Dinge zum höchsten sollen durch einen jedlichen Arzt verstanden werden. — Durch die Kunst chiromantiam, physiognomiam und magiam ist [es] möglich, gleich von Stund an, dem äußerlichen Ansehen nach, eines jeden Krauts und Wurzeln Eigenschaft und Tugend zu erkennen an seinen signatis, an seiner Gestalt, Form und Farbe.

IV. DAS BILD DES MENSCHEN

1. Die Herkunft von Gott

a) Erschaffung des Menschen aus dem limus terrae: Die
Geschrift beweiset, daß Gott hab genommen den limum
terrae[1] wie eine massam und aus derselbigen den Menschen geformiert und gemacht . . . Limus terrae ist
maior mundus. Und also ist der Mensch gemacht aus
Himmel und Erden, das ist: aus den obern und untern
Geschöpfen . . . Denn der limus terrae ist ein Auszug
vom Firmament und allen Elementen. — Gott . . . hat
. . . den Menschen in solcher Gestalt zu machen fürgenommen. Er hat ausgezogen das Wesen von den vier
Elementen zusammen in *ein* Stück; hat auch ausgezogen
von dem Gestirn das Wesen der Weisheit, der Kunst
und Vernunft; und also beide Wesen, der Elemente und
des Gestirns, zusammengestellt in *eine* massam, welche
massam die Geschrift limum terrae nennet.

b) Der limbus der späteren Menschen: Dieweil nun
der limbus[2] ist prima materia des Menschen, so muß
der Arzt wissen, was der limbus sei . . . Nun ist der
limbus Himmel und Erden, obere und untere Sphär,
die vier Elemente und was in ihr ist. Darum er billig
den Namen hat microcosmus. Denn er ist die ganze
Welt . . . Wisset, daß Gott . . . ohn ander Hinzutun
oder Mittel[3] den Menschen geschaffen hat . . . Das nun
forthin nimmermehr also ist. Sondern er hat ihm den
limbum gegeben in *seine* Natur, daß er selbst sei der
limbus; das ist: er sei sein selbst Sohn. Und so er den
Sohn haben will, so hat er ihm seine matrix gegeben,
das ist: die Frau . — Nun ist in der Frau der limbus

---

1. Vgl. 1. Mos. 2, 7 („Erdenkloß"). 2. limus. 3. Vermittlung.

nicht, aber der Geist. Was ist der limbus als der Samen?
c) *Mikrokosmos:* Aus diesem limo hat der Schöpfer
der Welt die kleine Welt gemacht, den microcosmum,
das ist: den Menschen. Also ist der Mensch die kleine
Welt. Das ist: alle Eigenschaften der Welt hat der
Mensch in ihm. Darum ist er microcosmus. — Also ist
die erste Schöpfung Himmel und Erden ... Und nach
Schöpfung dieser Dinge alle ist aus ihnen der Mensch
geworden, gemacht durch die Hand Gottes ... Verstehet, daß der Mensch die kleine Welt ist, nit in der
Form oder leiblichen Substanz, sondern in allen Kräften und Tugenden, wie die große Welt ist. Aus dem
Menschen nun folget der edle Nam microcosmus.

2. Entstehung (Zeugung und Geburt)

a) *Samen (Anlagen):* Zur Mehrung der Geschlechter
hat [Gott den Menschen] den freien Willen gesetzt,
wenn sie wollen oder nicht, können sie gebären — und
ihnen den Samen gegeben. Und hat ihnen den Samen
gesetzt in die Phantasei ... Will der Mann, so macht
ihm seine Spekulation eine Begierd, die Begierd macht
den Samen. — So er nun das verhängt[1] hat und seinen
Willen erfüllet in der Spekulation, alsdann entzünd't
sich der liquor vitae von der Spekulation und wird zu
einem Samen.
b) *Zeugung:* Merket, daß der Mann einen halben Samen hat und die Frau einen halben. Also die zween
machen einen ganzen Samen. Aber wie die zusammenkommen, das merket also. In der matrix[2] ist eine an-
ziehende Kraft ... So zieht die matrix den Samen des
Humors[3] an sich von der Frau und vom Mann, vom
Herzen, von [der] Leber, von der Milz, vom Gebein,
vom Mark, vom Geäder, von musculis, vom Blut, vom

1. gestattet. 2. Gebärmutter. 3. Flüssigkeit, d. h. der liquor
vitae.

Fleisch und von allem dem, das im ganzen Leib ist. Denn alles das, das ein besonderes Stück ist im Leib, das hat einen besonderen Samen. Aber die Samen alle von einem jedlichen Glied, ist nur *ein* Sam, so er zusammenkommt.

c) Geburt und Gestirn: Ein Kind . . . wächst . . . in matrice[2]. Und also bedarf das Kind keines Gestirns noch Planeten darzu. Seine Mutter ist sein Planet und Stern.

d) Künstliche Geburt (Homunculus): Ob auch der Natur und Kunst möglich sei, daß ein Mensch außerhalb weiblichs Leibs und einer natürlichen Mutter[2] möge geboren werden? Darauf geb ich die Antwort, daß es der Kunst spagirica und der Natur in keinem Weg zuwider, sondern gar wohl möglich sei. Wie aber solches zugehe und geschehen möge, ist nun sein Prozeß also: nämlich daß das Sperma eines Mannes in verschlossenem Kukurbiten[4] per se . . . putrefiziert[5] werde auf 40 Tage oder so lang, bis er lebendig werde und sich bewege . . . So er nun nach diesem täglich mit dem arcano sanguinis humani gar weislich gespeiset und ernähret wird bis auf 40 Wochen und in stäter gleicher Wärme . . . erhalten, wird ein rechtes, lebendiges, menschliches Kind daraus, mit allen Gliedmaßen wie ein anderes Kind, das von einem Weib geboren wird, doch viel kleiner. Dasselbige wir einen homunculum nennen.

3. Seele — Geist — Leib

a) Leib, Geist, Seele: Was vom Fleisch ist, das ist tierisch und hängt allen Tieren an. Was vom Gestirn ist, das ist menschlich. Und was vom Geist Gottes ist, das ist nach der Bildnis [Gottes].

4. Retorte.   5. auf besondere Weise unter Wärmeeinwirkung chemisch verarbeitet.

b) Leib: Das corpus ist der Anfang gewesen aller Dinge. Nach dem ist geschaffen worden demselbigen corpus sein lebendiger Geist, welcher aus dem corpus und durch das corpus seine Wirkung vollbringt.

c) Irdischer Geist (irdische Seele): Merket auch, daß zwo Seelen im Menschen sind, die ewige und die natürliche; das ist: zwei Leben. Eins ist dem Tod unterworfen, das andere widerstehet dem Tod . . . Was natürlich ist, das ist im gestirnten Leib; und der gestirnte Leib ist im körperlichen; und sind also beide *ein* Mensch, aber zween Leib.

d) Ewige Seele (ewiger Geist): So kommt nichts gen Himmel, weder der elementische noch der siderische Leib[1], allein der Mensch, der ein Geist ist, und nämlich der Geist, der von Gott ist. — Die Seel, dieselbige trägt ewiglich der Menschen Bürde oder Freud. Zum selbigen ist gegeben die Vernunft, Fürsichtigkeit und Weisheit. Diese drei sollen den Leib regieren und ziehen, also damit der Seel nicht zu schwer das Joch werde auf den Hals gelegt.

e) Lebenskraft (Spiritus vitae): Der spiritus vitae ist ein Geist, der da liegt in allen Gliedern des Leibs, wie sie denn genannt werden, und ist in allen gleich der *eine* Geist, die *eine* Kraft, in einem wie in dem andern, und ist das höchste Korn des Lebens, aus dem alle Glieder leben.

f) Archaeus: Ein Schmied und ein Bereiter ist im Magen. — So wir essen und trinken, so soll der archaeus dasselbige im Magen scheiden, also daß das Reine vom Unreinen komme. — Auf solches [ist] zu merken, das derselbige archaeus im Menschen alle die vulkanischen[2] Künste vollbringt, ordnet, schickt und fügt alle Dinge in . . . ihr Wesen, ein jedliches in seine letzte materia[3].

---

1. D. h. der irdische, sterbliche Geist (Verstand). 2. chemischen. 3. in den ihm bestimmten chemischen Endzustand.

4. Mann und Frau

a) Besonderheit der Frau: Die Welt ist und war die erste Kreatur, der Mensch war die andere, die Frau die dritte. Also ist die Welt die größte, der Männer die nächste, der Frauen die kleinste und hinterste Welt. — Die Frau ist der Welt näher denn der Mann, und der Mann ist weiter von ihr in der Anatomei, des Amts halben.

b) Überlegenheit des Mannes: Der Mann ist über die Frau, die Frau unter dem Mann. — Die Frauen sind nur halbe Kreaturen. Das ist: sie sind in ihrer mikrokosmischen Art beraubt der großen Potenz, die der Mann hat. — Verheft dich nit einem Weib, die dein Meister sei und dich ziehe, wie sie will.

c) Ehe: Gott will den Mann haben als einen Mann und eine Frau als eine Frau und will, daß beide *ein* Mensch seien. — Denn das sollet ihr wissen: ein Mann ohn eine Frau ist nit ganz. Nun mit der Frau ist er ganz. — Ein Mann und eine Frau gehören zusammen. Nun so die zwei zusammenkommen, die zusammengehören und verordnet sind, so wird da kein Ehebruch. Denn Ursach: die Anatomei und Konkordanz ist in *einem* und bricht nit. So sie aber nit zusammenkommen, so ist keine bestete Liebe da, sondern eine wankelnde, wie ein Rohr[1] im Wasser. — Was erhält die Ehe, oder was ist sie? Allein Erkenntnis der Herzen!

5. Die Aufgaben des Menschen auf Erden

a) Freiheit aus Gott — das bessere Leben: Der aber, der da bleibet in der Lehr Gottes, Gebot und Geheiß, der ist ein frei Mann. — Zu wissen ist, daß wir nit können ein bessers Leben erdenken, denn wie uns Gott das-

---

1. Schilf.

selbige geordnet hat. — Gott will von uns haben, daß wir unser Aufsehen haben auf ihn und leben in seinem Willen, in seinen Geboten. — [Gott] ist der Freund und der Nächst in den größesten Nöten, daraus uns kein Mensch helfen kann. — Was wir auf Erden sammeln, das gibt uns Gott.

b) Nach Natur und Bestimmung leben: Die wider Gott und die Natur wandeln, die sind nicht besser, denn zu [sich] selbst henken, nicht wert, daß sie ein anderer henk. — Darum sei und bleib, was dir Gott gegeben hat! — Denn alles, was der Mensch tut oder handelt, lernet oder will lernen, das muß in der Waag, in der Linie und im Zirkel bleiben, also daß nichts Ungleiches da sei, nichts Krummes, nichts außerhalb des Zirkels. — Was soll einer Sau [eine] Perle? Das ist: so ein Mensch sich selbst nicht kennt, so ist er eine Sau.

c) Tugend: Was ist ein frommer oder gerechter oder ganzer Mann? Der ist's, der die Tugend hat. Er ist barmherzig und leiht gern aus und teilt sein Wort recht aus[1].

d) Worte und Taten: Die gute Art ist in Werken und Erzeigung, im Tun und Selbst-Fertigen[2]. Die böse Art tut aber nichts, red't aber viel davon. Auf das Maul ist nicht zu urteilen, auf das Herz aber. Das kommt in das Maul nicht ohne die Werke. — Nun so wisset mit dem Verheißen, das wir gegen einander führen und haben, daß wir's halten und sollt der Boden mit uns brechen.

e) Kunst, Wissenschaft, Beruf: Also verstehet auch im Menschen, daß Gott einem jedlichen seine scientiam gegeben hat. Daraus denn folgt, daß ein jedlicher sein donum und scientiam auf das höchste bringen soll. — Nun ist die Erfahrenheit von Jugend auf bis in das Alter und gar nahe bis in den Tod.

---

1. Vgl. Ps. 37, 26; 112, 5.   2. Selbst-Vollenden.

6. Der Mensch als soziales Wesen

a) Leben in der Öffentlichkeit: Also auch wandeln mit
Sitten und Tugenden wie Christus gewandelt hat. Das
ist: geschlafen, wenn er nichts zu schaffen gehabt hat,
offenlich bei den Leuten wandeln, sie lehren und unter-
weisen, niemand verachten, nicht versperrt in die Zell,
nit die Leut verboten, mit ihm zu reden, nit absondern
von Menschen! Denn wehe dem Menschen, der sich
allein hält, des Sitten, Tugend, Lehr nit täglich vor
dem Volk wandelt.

b) Leben in der Gemeinschaft: Wir sind sein Schaf und
sein Herde. Nun wisset: Er hat den Schafen geschaffen
ihr Bühel[1], ihr Gras, ihr Weid, da sie sich mögen be-
grasen und erhalten. Nun sie sind fröhlich und guter
Ding, hopfen und springen. Denn warum? Gott hat
ihnen den Mut geschaffen und ihr Futterlein dazu; das
geschieht im Angesicht Gottes. Also sind wir auch: Uns
hat er Silber, Gold, Eisen, Gestein etc. geschaffen,
fröhlich damit zu sein wie die Schaf, in denen kein
Eigennutz ist, sondern allein ein gemeiner Nutz. Keiner kann dem andern nichts stehlen, noch bescheißen
um sein Weis. Darum sollen wir nit anders mit dem
sein, das uns Gott gibt, als die Schaf sind: Also soll
auch das alles sein, das unter unsern Händen liegt, *ein*
Stall. Denn Ursach, da ist *ein* Herde, ist *ein* Weid,
keins mehr noch weniger, eins wie das ander.

7. Der Mensch als theologisches Wesen

a) Gotteskindschaft: Nichts ist im Himmel noch auf
Erden, das nicht im Menschen sei ... Denn Gott, der im
Himmel ist, der ist im Menschen. Denn wo ist der
Himmel als der Mensch? — Wir sind auch Götter, dar-

1. Hügel.

um daß wir seine Kinder sind; aber der Vater selbst [sind wir] nicht. Darum bleibet allein *ein* Gott und nicht mehr, und wir für und für Kinder.

b) Der Mensch und Gottes Offenbarung: Durch alle Menschen werden alle mysteria Gottes geoffenbart. — Aus dem dann folgt, daß wir göttliche Weisheit im tötlichen[1] Leib tragen. Auch die Künst, die niemandes sind denn allein Gottes, die haben wir in unsern Kräften.

c) Der Mensch ist nichts: Der Mensch an ihm selber nichts ist, und sein beste Weisheit ist ein Narrheit vor Gott. — Der Mensch legt den Eckstein nit, allein Gott. Das ist: so er ein Menschen brauchen will zu einem Ding, ... so die Zeit kommt, so nimmt ihn Gott und macht aus ihm, das er aus ihm machen will. Also erscheint derselbig darnach groß und wunderbarlich.

d) Leben aus dem Gewissen: Was lauft ihr an die Predigt, was geht ihr in die Schul, was in die Bericht[2] der Gesatz, zu lernen, wie ihr einander halten sollt, dieweil ihr's doch alles bei euch selbst habt? Tut allein das, das euch euer eigen Gewissen lehret, so habt ihr alles erfüllt!

e) Ergebung: Einfältig werden wir geborn in diese Welt, und wissen und können nix, und bringen nix mit uns. Auf solchs haben wir zwen Lehrmeister, Gott und den Menschen. — Was Ruhe ist auf Erden? Nix, keine! *Das* ist eine Ruhe: der Gott läßt sorgen. Denn sein Joch ist leicht, sein Bürde ist süß[3]. — ... daß wir unser kurz Alter betrachten und die Mühe und Arbeit, darein uns das Alter führt, daß wir abstehen von unsern eigen Sinnen und Vernunft, Weisheit und Hoffart, und ergeben uns in den Weg Gottes.

---

1. sterblichen.   2. Unterricht.   3. Vgl. Matth. 11, 30.

a) Vollendung der natürlichen Lebensspanne: So ist
nun weiter zu wissen von dem Tod und seinem Ein-
fallen, was derselbigen Zeit [sei]. Alle Dinge haben
ihre Zeit, wie lang sie stehen sollen ... Alle Dinge
werden von Gott auf ihren Termin gesetzt, und den
kann kein Heiliger übergehn, er sei, wie fromm, gerecht oder wie nutz dem Volk er wolle oder möge. So
die Zeit kommt, so wird nichts angesehen als: auf und
darvon! Dieser Zeit Endung ist der Tod. — Ein solches
Exempel: eine Sanduhr, die du setzest und läßt laufen — alsobald sie läuft, so weißt du auf welchen Punkt
sie aus ist. Also ist die Natur in creato, daß sie weiß,
wie lang ens naturale laufen wird. Und also ... [sind]
alle die Läufe, die den leiblichen Planeten zugebühren
im Leib, daß sie alle vollbracht werden in der Zeit
zwischen Creaz[1] und Praedestinaz[2]. — [Nämlich] zu
der rechten Zeit des natürlichen, verordneten Tods, der
von wenigen erreicht kann werden. — Es ist ... ganz
unchristlich, daß wir nit können sollten unser Leben
ausstrecken durch die Arznei.

b) Tod und Organismus: Im Menschen ist kein Tod.
Im Gestirn, in Elementen ist der Tod. Und aber, daß
der Mensch von ihnen gemacht, geboren ist, darum so
erbt er aus dem Gestirn und den Elementen den Tod.
— Nach der Zergehung der Elemente folget die Zergehung des Menschen. — Der Tod aber ist des Menschen
ist gewißlich nichts anderes als ein Ende des Tagwerks,
eine Hinnehmung der Luft, eine Verschwindung des
Balsams und eine Ablöschung des natürlichen Lichts
und eine große Separation der drei Substanzen, Leib,
Seele und Geists.

c) Ewiges Leben: Durch den Tod kommt der elementische Leib mit seinem Geist in die Gruben, und die

1. Anfangszustand.   2. Endzustand.

ätherischen werden in ihrem Firmament verzehrt, und der Geist der Bildnis[3] gehet zu dem, des die Bildnis ist. — Ob gleichwohl mit der Natur angefangen wird, so folgt doch nicht aus dem, daß in der Natur soll aufgehört werden und in ihr geblieben. Sondern weiter suchen und enden in dem Ewigen, das ist: im göttlichen Wesen und Wandel. — Nicht durch unsere Kraft werden wir auferstehen, sondern durch Gottes Kraft.

3. erg. Gottes (vgl. 1. Mos. 1, 27).

V. RELIGION

1. Paracelsus und die Theologie

a) „Heidnischer" und „christlicher Stylus" in der Medizin: So merket, daß wir ein heidnischen Stylum führen wollen, wiewohl wir ein Christ geboren sind . . . Aber das letzt Ens[1], das ist ein christlicher Stylus, mit welchem wir beschließen. Uns soll auch der heidnisch Stylus, den wir beschreiben in den vier Entibus, nicht schaden am Glauben. Er soll uns allein schärfen unser Ingenium. — Darum so setzen wir in diesem Traktat ein christlichen Stylus, also daß wir uns sollen glauben, daß all unsere Krankheiten Flaggellum[2] sind und Exempel und Anzeigung, daß uns Gott dieselbigen hinnehm[3] durch unsern Glauben christenlich, nit durch die Arznei heidnisch, sondern in Christo. Denn der Kranke, der zu der Arznei hofft, derselbig ist kein Christ; der aber das zu Gott setzet, der ist ein Christ.

b) Theologie als Universalwissenschaft: Denn also auch ist Philosophia[4] particula Theologiae. Diese sind die, so Gottes Werk verkünden und lehren; also auch Medicina, sind all particula. Der von der Krankheit red't, ist ein Partikul Theologiae, denn er lehrt die Heimlichkeiten[5] Gottes dem Evangelium nach. Denn im selbigen werden die Ding all erfüllt.

c) Der theologische Geist: Ich wollt aber, daß ich den theologischen Geist hätte. Denn ich mich viel groß bedenke, er sei nit so groß auf Erden, als etliche schätzen, bei ihnen zu sein[6]. Ich wollt aber einmal, ich hätt ihn.

---

1. Krankheitsursache, Wirkfaktor. Vgl. oben II, 2! 2. Züchtigungen, Plagen (Gottes). 3. wegnehme. 4. Naturphilosophie, -wissenschaft. 5. Geheimnisse. 6. D. h., daß sie ihn (diesen Geist) besitzen.

Aber kann ich wohl erkennen, es kann mit Nöten[7] nit
erlangt werden. Dieweil und ich mit soviel Armut,
Jammer diese kleine Fakultäten[8] habe müssen erfahren,
noch viel mehr Ernst, Armut, Hunger, Elend gehört zu
dem theologischen Geist.

d) *Keine Anerkennung durch die Fachtheologen:* Daß
ich nit für ein vollmächtigen Christen bin geachtet worden, das mich hart betrübt hat. Denn dieweil ich bin
ein Kreatur Gottes . . ., hat mich das für gnug angesehen, ein vollmächtiger Christ zu sein. Sonder[9] mir
ist entgegen gestanden ein andrer Hauf . . ., der da
gesagt: ‚Du als ein Lai, als ein Baur, als ein gemein
Mann sollst von den Dingen nit reden, was die Heilig Geschrift antrifft, sondern uns zuhören, was wir dir
sagen . . .‘ Nun dieweil ich mich nit fast[10] können rüh-
ren, denn sie waren groß vor der Welt, hab es müssen
gedulden, als einer, der unter der Stiegen hat müssen
liegen.

2. GOTT

a) *Gott als Quelle der Wahrheit:* Gott ist der Wahrheit
Ursprung. Darum so steht sie um ihn wie die Blätter
am Baum um den Stamm. Wo nun nit Wahrheit gebraucht wird, da ist Gott nit. Allein wo die Wahrheit
ist, da ist Gott; denn um Gott ist die Wahrheit. — Nun
ist Gott die höchste Wahrheit.

b) *Die Vielfalt Gottes:* Darum wisset, daß Gott viel
hunderttausend Angesichter hat — das dahin, das dahin
— und nicht allein eins.

c) *Der allmächtige und vollkommene Gott:* Wir sind
nit Gott, *er* ist Gott; wir sind auch nit Herren, *er* ist
Herr. — Was die Kreaturn wirken, ist allezeit mit Ge-

7. mit Nötigung, gewaltsam.   8. D. h. seine bisherige wissenschaftliche Arbeit.   9. aber, insbesondere.   10. sehr, stark.

bresten[1], nit ganz. Aber was gebrist[2] Gottes Werk? Darum ist ihm nichts gleich!

d) Der allgegenwärtige Gott: Der im Himmel sitzt, der ist Herr, und sonst keiner nit. Was nun ein Herr heißt, das tut der Knecht. Also sollen wir ihm auch tun. Darum ist [es] nichts, daß wir auf den Menschen acht haben, als an die, so an Gottes Statt sitzen. Denn wir haben *einen* Herrn, und ein ganzen, vollkommnen Herrn. Der hat kein Statthalter, er mag auch kein haben. Dann Ursach, Gott ist über all und ist bei allen. Wie kann er denn wandern, weichen, hinweg reiten?

e) Gott als unpersönliche Wirkkraft: Nie kein Kraft ist gewesen, die nit Gott selbst gewesen sei, wiewohl nit persönlich, aber sein Kraft. Darum so ist Gott der Vater in seinen Tugenden[3] natürlich gewesen, das ist: in der Natur.

f) Der Sinn der Dreieinigkeit: Also glauben wir in Gott als in Gott den Vater, der uns geschaffen hat, von dem wir allein sind, der unser Vater ist. Also glauben wir auch in Gott den Sohn, der uns erlöset hat. Also glauben wir in Gott den Heiligen Geist, der uns erleucht hat. Denn da müssen die Personen geglaubt werden wie ein Baum, der Frücht gibt: der soll[4] ohn Erden nichts, ohn den Baum nichts, ohn die Frucht nichts. Die drei sind alles *ein* Ding, und nit drei; aber vor unsern Augen sind's drei Ding.

3. CHRISTUS

a) Christus als Lebensquell: Wer will leben seliglich auf Erden, der muß sein Lehr, Regiment und Ordnung auf den Eckstein Christum setzen, derselbig ist alles.

b) Christus als offenbarer und verleiblichter Gott: Gott hat kein Ohren, die Person aber des Sohns hat's. Dar-

---

1. Gebrechen.   2. gebricht.   3. Kräften, Fähigkeiten.   4. nützt, taugt.

um so man Gott erweckt hat, und sein Ohren aufzutun ermahnt und erbeten wird, so ist die Person Christi da, der die Ohren zu hören zusteht. — Aus der Ursach ist Gott natürlich[1] worden, und doch aber nit ein Geschöpf seiner Natur. Daß er natürlich ist, ist also: Er ist natürlich worden ein Mensch. Darum sind wir aus ihm zum andern Mal geschaffen, auf daß wir wieder zum Ewigen an den Tod kommen. — Der den Sohn sieht, der sieht auch den Vater, zwo Personen in dem, daß der Sohn ist Mensch worden, *ein* Person aber nach der Gottheit. Der Vater hat weder Blut noch Fleisch, darum besitzt er kein Statt der Person[2]; er ist im Sohn, der Sohn in ihm, auf *einem* Stuhl, nit auf zweien, in *einer* Person anzusehen, nit zu zweien. Darum ist kein Seite da, noch Teilung der Hände, sondern im Centro, im Punkten, ein einigs, nicht geteilt.

c) Der gegenwärtige Christus: Ob wir gleich die Person Christi nit haben, so haben wir doch seine Kraft und Tugend[3] bei uns. Allein daß wir uns ein fruchtbare Erden sind, damit daß die Wirkung in uns gehe!

d) Christi Werk: Christus hat uns erlöset von menschlichen Ordnungen und gar in die göttlichen Gesatz geführet.

e) Christus als Arzt: Also ist Christus der erst Arzet und der oberste, der es umsonst tut.

f) Unendliche Genugtuung: So groß ist die Barmherzigkeit Gottes, daß . . . auch möglich der Barmherzigkeit Gottes ist, die Teufel zu erledigen[4], welches aber nit geschieht. Denn Ursach, die Barmherzigkeit ist im Sohn, der Will im Vater; den Willen hat der Vater behalten, auf daß der Sohn nit zuviel seinen Feinden barmherzig wäre. Darum zieht der Vater die zum Sohn, die er will erhalten haben, und der Sohn macht niemand selig, sein Vater hab ihn denn zu ihm gezogen . . . Denn die unermeßlich Güte und Barm-

---

1. ein natürliches, weltliches Wesen.   2. keinen räumlichen (irdischen) Aufenthaltsort.   3. Macht, Fähigkeit.   4. erlösen.

herzigkeit Gottes, denn sein Leiden ist so überaus groß: so nicht ein Einred[5] behalten wär bei Gott dem Vater, daß alles erlöst würde, niemand ausgenommen, Teufel und Geist[er], Mörder und Ketzer, Schänder und Verächter Christi.

g) *Der präexistente Christus als Erlöser im Alten Bunde:* Darum David sagt: . . . Wär er[6] geborn, so bäte ich ihn jetzt; so er aber noch nit geborn ist, so bitt ich jetzt und komm zuvor, [auf] daß, so er geborn wird, [er] diese meine Bitte (die er jetzt auch hört, als wohl als auf der Erden, so er geboren wird sein), daß er mein Hoffnung, so ich in ihn hab, annehmen wolle und mich erlösen. Das ist vorgearbeitet und die Tauf empfangen vor ihrer Zeit. Das sind die alten Christen, die ersten Christen: David und die heiligen Altväter[7].

4. DER LEIB CHRISTI (DIE SAKRAMENTE)

a) *Die Taufe als Grundlage des neuen Menschen:* Darum sind zwei Fleisch: von Adam, das ist nichts wert; von dem Heiligen Geist, das macht lebendig Fleisch, denn er inkarniert von oben herab, darum kommet sein Inkarnation durch uns wieder gen Himmel. Also wisset nun, daß der Tauf anstatt der Jungfrauen[1] da ist, und im Tauf werden wir inkarniert vom Heiligen Geist . . . Der wird auch dann sein bei uns und uns inkarniern in die neue Geburt, in welcher ist das Leben und nit der Tod. Und so wir in dieser Geburt nit werden geboren, so sind wir Kinder des Tods und nit des Lebens. — Also daß der erste Anfang eines jeglichen Christen sein soll, mit dem Tauf anzufangen, . . . und das von wegen der Inkarnation, so vom Heiligen Geist im Tauf geschaffen wird, welche den Leib gibt der Auferstehung.

5. Einspruch, Vorbehalt.   6. näml. Christus.   7. die Väter des Alten Testaments, Patriarchen.
1. an Stelle der Gottesmutter Maria.

b) Die Taufe als das wahre Amt des Menschen: Welcher getauft ist, der ist geweihet. Und *die* Weih allein, sonst kein Weih mehr! — Der Tauf ist das Amt des Menschen und die Gewalt[2] des Menschen, die er hat zu reden von Christo im Neuen Testament.

c) Einmaligkeit und Wirksamkeit der Taufe: Der Tauf bleibt gerecht[3] mit uns in Tod . . .; der kann nit erneuert werden noch verändert, sondern er bleibt in seiner Kraft, soviel demselbigen Wasser Kraft geben ist. Und dieselbige Kraft soll nimmer erneuert werden, dann Ursach da folgt hernach der Tauf des Heiligen Geists, so wir aus dem kindlichen Verstand kommen in die jährlichen Zeiten[4]. Derselbig soll taufen, und nit das Wasser . . . der kommt nit in kindlichen Tagen, sondern in gewachsnen[5] Tagen.

d) Die geistige Speise des Leibes Christi: Das ist der best Weizen, Christus; das ist der best Honig, sein Blut . . . In dem müssen wir gespeist werden und in keinem andern. Wie der Weizen unser Leib ist, also ist der Weizen der Leib Christi, . . . und er speiset in uns als ein neu Geschöpf. Die Speis er selbst ist. Denn Adams Limbus[6] ist tot in Christo; sein Speis, so aus seinem Limbo geht, ist auch tot. Lebendig ist Christus, der Limbus auch . . . er will, daß wir aus ihm gar sind und sein Speis essen, das ist ihn selbst und nichts tötlichs[7].

e) Das geistige Essen und Trinken von Fleisch und Blut: Die mit mir essen auf Erden mein Mahl, mein Fleisch, und trinken mein Blut, dieselbigen werd ich auferwecken, dieselbigen werden mit mir auch essen im Reich meines Vaters[8]. Das ist die Auferstehung, daß wir von dem irdischen Wesen und Unflat kommen, und kommen in ein neu Geburt, die aus Gott sei, nit vom Menschen. — Also essen wir den neuen Leib, den

2. Befugnis, Vollmacht.   3. richtig; rechtmäßigerweise.   4. Jahre der Reife.   5. erwachsenen.   6. irdische Leiblichkeit nach 1. Mos. 2, 7.   7. sterblich.   8. Vgl. Joh. 6, 54; Luk. 14, 15; 22, 30.

wir nit sehen, und wähnen, wir essen im Samen und dem tötlichen[7] Leib; und neben dem wird auch gespeist der himmelisch Leib. ... Wir sehen den irdischen Leib für ein Speis, und das Himmelisch ist darin, und ißt's, und wir sehen's nit. Wächst die Rosen von dem Tau und Regen, so wächst unser ander[9] Kreatur auch von diesem Tau, der da liegt. Denn mehr ist ein Mensch denn ein Ros, und die Natur hat viel in ihr ... Noch[10] aber die ander Kreatur hat niemand in der Philosophia ergründ't, wer es wäre, ... und ist doch nit irdisch, sondern vom Himmel herab.

5. Die Gottesmutter

a) Die ewige Jungfrau: Gott der Vater hat ein Weib gehabt vor allen Dingen. Wenn er kein Weib gehabt hätt, so hätt er den Sohn nit gehabt. Also wär der Heilig Geist auch nit. Das beweist, daß sie die Frau Gottes gewesen ist. — Und ist die Ursach also dieser Jungfrauschaft, daß sie ein Jungfrau blieben und gewesen ist, vor dem[1] der Himmel und Erdreich geschaffen sind; und auf Erden, dieweil sie stehet; und so die Erden vergehet, ein ... bleiben wird in Ewigkeit. — So sie nun a... Jungfrau gewesen ist vor menschlicher Geburt, ... müssen ein Leib haben, der gewesen ist von ... sie gehabt hat den menschlichen Leib, ... Leib, der ewig bleibt.
b) Die Mutter C... ... das die Jungfrau ist, das im Geist ist ... frau hat Gott geborn wider alle Natur ... akel wider die Natur ist auf die Geb... dt. Denn dasselbige Mirakel ist größ... rakel Christi, die Geburt Christi, i... Mensch ist worden. — Gedenk, daß ... ein Boden haben, ein

9. zweite.
1. bevor.

Erden, ein Acker. Nun ist Christus die Frucht, Maria der Acker, der ihn tragen hat. Gott ist der Samen.

c) Die Himmelskönigin: Nichts ist in der Natur, das zu der Gottheit gehöre. Maria aber gehöret in die Gottheit. Drum ist sie nit von der Natur. — Betest du Maria an, du bist deshalben kein Ketzer, so du den Spiegel der Trinität vor dir hast als ein Mutter Gottes, die aus der Trinität nit geschieden wird, sondern in der Person des Vaters begriffen wird. — Da merk, daß Maria ist ein Königin der Himmel, ursach daß[2] sie die erst bei Gott gewesen ist, und je und je bei ihm in einigen Wesen[3] in einer Person. Darum ist Gott ein König der Himmel, und sie ist eine Königin.

6. Der Engel im Menschen

a) Die Funktion des göttlichen Geistes im Menschen: Also sollet ihr auch wissen, daß die Dinge alle Geist sind, Seel und Geist, Seel und Engel, sind alles Geist. Darum die Seel wohl mag auch ein Geist geheißen werden, und der Geist von Gott ein Engel des Menschen; ist recht und wohl geredt. Denn sie gehen alle aus dem Mund Gottes und v . . . . . Hand. Das ist, daß der Geist mit allen geist . . . . . kräften aus Gott geboren wird, wie das Fl . . . . . der Welt mit allen Kräften begabet ist, so v . . . . . Menschen gebührt. Und wenn die Kräf . . . . . e und himmlische, nach ihren Kräften ge . . . . . n im Willen Gottes, so ist es alles in ei . . . . . leibt in *einer* Seel in Ewigkeit.

b) Der Engel im Me . . . . . göttliche Wesensbestimmung: So wir . . . . . on Gott, so müssen wir's durch den Ge . . . . . er ist von Gott, und von Gott durch de . . . . . in uns. Also

2. weil.   3. D. h. in Wese . . .

lernen wir von den Äußern[1] in uns durch die Mittel[2], so von demselbigen sind in uns ... Also sollet ihr wissen, daß nichts von Gott in uns kommet, so nit in uns der Engel wär, der von uns zu Gott ein innerliche himmlische Botschaft führete; noch nichts von Gott zu uns ohn ein solch Mittel, das schneller ist denn alle Gedanken. Und ein solches Mittel kann der Mensch nit verneinen. — Und zu dem ist das Amt der Seelen, daß sie ein Engel ist, und daß der Mensch den Engel brauchen soll; denn er[3] ist der Mensch ohn das Tötlich[4]. Derselbig Mensch ist es, von dem er ist, oder in dem er ist, und der er ist.

7. Sünde und Vergebung, freier und unfreier Wille, Glaube und Werke

a) Der geschichtliche Ursprung der Sünde — Erbsünde: So groß ist die erst Sünd gesein, die wir die Erbsünd nennen, von Adam her empfangen (das ist: den Zorn und Fluch Adam und Evae, so über uns auch gangen ist), daß dieselbig Sünd von uns niemand hat können nehmen, weder Gott noch der Mensch, bis sich Gott erbarmt und sein Sohn ließ geboren werden. Der nahm dieselbig Sünd alle hin ... Das ist die höchst Vergebung der Sünd, so Gott bewiesen hat.
b) Der Ursprung der Sünde im Menschen: Denn alle Sünden heben in Gedanken an, ein Teil bleibt vorgehalten[1], der ander bricht herfür. Der herfür bricht, ist auch wissend[2] den Menschen; denn sie müssen durch die Sünd geschmäht werden ... Denn sie werden auf andern vollbracht und zu Nachteil dem Nächsten. Denn nit *ein* Mensch, sondern alle Menschen sind unsere Nächsten, soviel ihrer sind.

1. von den außerhalb unser liegenden Kräften.   2. die mittleren Kräfte oder Wesen.   3. näml. der „Engel".   4. das Sterbliche.
1. verhalten, gebändigt.   2. bewußt.

c) Der Sünder und seine Buße: Der nichts auf die
Barmherzigkeit Gottes hält, dem ist kein Sünd zu
schwer, denn er fürcht't Gott nit, liebet auch niemand
denn sich selbst. Der aber Gottes Barmherzigkeit glaubt
und hält, der weicht vom Felsen nit, er verharret darauf, und ob er schon fällt, so wird er wieder aufge-
hoben. — Also ihr all, so auf Erden lebt, fallet von der
Hoffart und Übermut und geht in die Demut und be-
kennet euer Sünd gegeneinander. Denn wir sind alle
Sünder.

d) Wahre Buße und Beichte: Welcher in der Buß stehet
und wirkt poenitentiam, der stehet in der Zahl der Aus-
erwählten. Aber Buß wirken, ist tun den Willen Gottes,
und nit auf den Knien liegen nach Gedünken menschlichen Sinns. Buß wirken, ist in Christo leben, und nit
hin und her dem Gesetz nachzufolgen, wie es einem
jeglichen gut gedünkt. — Das beweist nun, daß all
menschlich Vergeben an Gottes Statt umsonst ist . . .
so nun die Sünd im Herzen liegt, allein Gott wissend
und nit dem Menschen — darum soll dem gebeicht't
werden, der Herr der Herzen ist und nit des Mauls.

e) Menschliche Unfreiheit von Natur und aus Verzicht:
Man möcht auf das sagen, wir hätten den freien Willen, tun oder nit. Das ist nit! Wir mögen nichts tun,
Gott geb's denn. Der Böses tut, dem muß Gott das Bös
da geben, sonst kann er's nit tun. Der Guts tut, dem
muß Gott geben, er kann's sonst auch nit tun. Wie
kann denn der Mensch tun, was er will, so er doch nit
kann ein Haar weiß oder schwarz machen[3]? Der hat
seinen freien Willen, der kann und mag tun, was er will,
und ist niemand über ihn, und niemand, der es ihm
mög wenden. Wer ist der? Allein Gott! — Der nun
Gott liebt, der tötet seinen Willen. So ist des Menschen
Freiheit nichts mehr.

f) Folgen aus der menschlichen Unfreiheit: Dieweil

---

3. Vgl. Matth. 5, 36.

wir also des freien Willens beraubt sind . . ., sollen wir Christum in diesem Text verstehen, daß wir endlich gebunden sind, in Christo zu leben. — Darum so ist kein Willen bei uns. Der ihn aber hat und nimmt ihn, der wird gleich dem Satan, dem Lucifer, den sein freier Wille verdammt hat in die Abgründ der Höllen. Denn dieweil Gott uns als Menschen zu sein geschaffen hat, und nach seinem Bildnis, und den Geist von ihm uns geben hat, so will er, daß wir nach dem selben sollen leben, in seinem Willen und nit nach dem Willen Fleisch und Bluts.

g) *Der neue freie Wille des Christen:* Was wir aber unter uns einander beweisen, das ist ein freier Wille, den wir gegen einander haben . . . Wir dürfen uns auch des freien Willens nit berühmen, denn er diente gegen Gott nichts. — Darum ist das Bitten und das Nehmen an uns gelegen und nit an Gott.

h) *Gotteslohn und menschliches Werk:* Dieser Hausvater [Gott] lohnet nach dem Glauben und nichts nach den Werken. Und welcher sich verläßt auf die Werk, derselbig ist nit teilhaftig des Lohns. — Also wenig sollen wir auch bauen auf unsere Werke, durch dieselbigen gen Himmel zu kommen; sondern durch dieselbigen aus rechtem inwendigen Grunde Christum in die Liebe zu fassen, daß er uns seiner Bitte nicht versagen kann oder mag.

i) *Taten und Werke:* Die Tat und die Werke scheiden sich in dem: Das ist eine Tat, die aus dem Geist gehet; das ist ein Werk, das aus dem Leib gehet. Also werden die Taten angesehen und nicht die Werke von Gott.

k) *Werke, Liebe und Geist:* Gott also will, daß kein Gebot von wegen der Werke soll gehalten werden, sondern von wegen der Liebe . . . Das Gebot Gottes gehet allein in die Liebe. Aus welcher Liebe die Werke fließen. Aber die Gleisner liegen auf den Werken und löschen also die Liebe aus. — Wenn einer Gott eine Gabe gibt, so gedenke einer nicht, daß ihn die Gabe selig mache, sondern nur Gott alleine ... Tuest du ein Werk, so tue es aus dem Geist und scheide es nicht vom Geist.

8. Licht der Natur und Licht des Geistes

a) *Die natürliche Theologie:* Es hat nit alles von Stund an[1] ein geistlichen Verstand[2]. Sondern es muß am ersten im Licht der Natur erkannt werden. Darnach so gibt es ein Theologen. Nit daß *ich* ein Theologus sei. Denn ich berühm mich keines Geists, aber der Künsten[3] ... Es möcht vielleicht einer vermeinen, es wär ein Theologica: so laß's ein natürliche sein, die da fleußt aus natürlichem Grund.

b) *Gott und Christus als die wahren Lehrmeister:* Darum so müssen wir ein höhern Schulmeister suchen denn der Mensch [ist], wollen wir anders im rechten Grund erleucht't werden. — Ein jeder Mensch hat ein gegebnen Geist von Gott, der den Menschen regiern und führen soll. — Besser ist die Weisheit Christi denn alle Weisheit der Natur. — Wer hat die Künst[3] gelehret? Auch allein Gott!

c) *Mehr als das natürliche Licht:* Nun über das, so das natürlich Licht faßt und erkennt, ist noch mehr, das über dasselbige reicht und erhoben ist, allein wider das Licht der Natur, das ist: im Licht der Natur nit zu ergründen. Aber im Licht des Menschen, das über das Licht der Natur ist, da wird es ergründt't. Denn die Natur gibt ein Licht, dadurch sie mag erkannt werden, aus ihrem eignen Schein. Aber im Menschen ist auch ein Licht, außerhalb dem Licht, so in der Natur geborn ist. Dasselbig ist das Licht, dadurch der Mensch übernatürlich Ding erfährt ... Denn der Mensch ist mehr denn die Natur. Er ist die Natur, er ist auch ein Geist,

---

1. sogleich, auf den ersten Blick.   2. Sinn, Bedeutung.   3. die freien Künste, d. h. die Grund- und Naturwissenschaften.

er ist auch ein Engel, deren aller dreien Eigenschaft hat er. Wandelt er in der Natur, so dient er der Natur; wandelt er im Geist, er dient dem Geist; wandelt er im Engel, er dient als ein Engel. Das erst ist dem Leib geben, die andern sind der Seel geben, und sind ihr Kleinod. Darum nun daß der Mensch ein Seel hat, und die zwei dabei, drum steigt er über die Natur, zu ergründen auch was nit in der Natur ist, sondern zu erfahren und zu ergründen die Höllen, den Teufel und sein Reich. Also auch ergründ't der Mensch den Himmel und sein Wesen, nämlich Gott und sein Reich.

d) Das Licht des Geistes als letzte Weisheit: Also zwo Weisheit sein in dieser Welt, ein ewige und ein tötliche[4]. Die ewig entspringt ohne Mittel[5] aus dem Licht des Heiligen Geists, die ander ohne Mittel aus dem Licht der Natur. Die aus dem Licht des Heiligen Geists hat nur *ein* Speciem an ihr, das ist die gerecht, unbresthaftig[6] Weisheit. Die aber aus dem Licht der Natur hat zwo Species, die gut und die bös Weisheit. — Darum ob gleich wohl mit der Natur angefangen wird, so folgt doch nicht aus dem, daß in der Natur soll aufgehört werden und in ihr bleiben. Sondern weiter suchen und enden in dem Ewigen, das ist im göttlichen Wesen und Wandel! ... Also hab ich mit dem Licht der Natur angefangen, und ungezweifelt in Gott dem Herrn, im Licht des Ewigen [will ich] beschließen.

9. Kritik an der Kirche

a) Die wahre Kirche: Nun ist die Kirch die Gläubigen alle. Nun sind viel, die da glauben, aber nit der Kirchen, das ist: nit in der Zahl der Kirche. Allein die sind die Kirche Christi, da ein jeder sein Kreuz auf sich nimmt und trägt's und folgt damit Christo nach. —

4. sterbliche.   5. unmittelbar.   6. unbeschädigt, gesund.

Die Kirch heißt auf Latein Catholica, und ist der Geist aller gerechten[1] Gläubigen und ihr Wohnung. Und ihr Zusammenkommung ist im Heiligen Geist, also daß sie alle im Glauben sind. Das ist *fides catholica*, und besitzt kein Statt[2]. Aber Ecclesia ist ein Maur. Und zu gleicher Weis wie im Heiligen Geist die Kirche der Heiligen ist mit ihrem Geist, also ist der Falschen [Kirche] in dem Gemäur unterworfen dem Teufel. Denn da hat der Heilig Geist kein Wohnung.

b) Spaltungen sind keine Kirche: Papistisch, Lutherisch etc., . . . Zwinglischen, Täufer, Hussiten, Picarden[3] . . ., sie sind aber nit in der ewigen Kirchen, nur in der zergänglichen Kirchen. — Der Luther vertreibt den Papst nit, der Zwingle auch nit. Es ist alles *ein* Ding. Der Papst wird den Luther auch nit vertreiben, noch den Zwingli, noch die Täufer. Der Zwingle die andern auch nit. Die Täufer auch nit. Darum vertreibt ein Teufel den andern nit.

c) Innerliche Kirche: Der falsch Christ sagt, man soll beten in der Kirchen, beim Altar, bei der Meß, bei der Vesper etc. Und dasselbig Haus ist nit ein Bethaus! Das Bethaus ist, wie Christus sagt, im Schlafkämmerlein, das ist im Herzen. — Was ein jeglicher Gott schuldig ist, dasselbige soll er tuen selber, und nicht durch einen andern. Ein jeglicher soll selbst Gott bitten. — Welcher da lernen will den Glauben Christi, der bedarf keines Predigers, keines Laufens in die Kirchen. Allein daß er durstig sei und werde, so läuft Christus zu ihm in sein Haus und macht aus ihm einen Christen nach seinem Willen.

d) Falsche Heidenbekehrung: Wie selig sind die Inseln des Meers . . . Das sind die Inseln der nackenden Leute. Die wissen nichts um euren Betrug. Die Irrung, die sie haben, die wäschet ihnen der Regen hinweg, und sind Kinder der ewigen Seligkeit. Besser wär es, daß der,

1. richtigen, wahren.   2. räumlichen Ort.   3. Name verschiedener Sekten: Begharden, Adamiten, böhmische Brüder.

der sie find und sie bekleidet mit den unsern Sitten —
des Galeere wäre steinern und fiele mit ihnen gen Boden! Lernen Christum kennen, und neben dem alle
Büberei; vergessen Christum wieder, und gebrauchen
das ander.

10. Toleranz

a) Viele Wege zu Gott: Darum aus der Ordnung Gottes
sind viel Weg zu Gott, und doch aber alle enge Weg . . .
Und kann niemand übel gehn, der im engen Weg geht.
Denn er fürcht't Gott und liebet seinen Nächsten . . .
Wie nun also die Weg sind, so stehn sie bei Gott, nit
beim Menschen, wo Gott ein jeglichen hinbescheid't . . .
Denn ein Mensch, der das tut, das ihm sein Herz un-
terweist und sein Gewissen, dazu ein jeglicher gelehrt
gnug ist von Gott, der ihn gemacht hat — aus derselbigen Gelehrtheit weiß ein jeglicher wohl, was er tun
soll . . . So wir darauf gewiesen werden, so wisset, daß
die Heiden nahe bei uns sind, daß sie aber weniger
selig sind denn wir. Das will der Wille Gottes, daß
uns der Tauf und die Erlösung Christi, in den wir
glauben, mehr auferheben als die, so nit glauben.
b) Selige Heiden: Merket, daß alle Kinder selig sind:
der Türken, der Tartern, der Heiden, der Christen . . .
Denn ein jeglichs Kind ist selig, es sei von wannen es
wolle, es sei im Mutterleibe gestorben oder nicht. —
Ein Türk, dem da dürstet nach der Gerechtigkeit, der
ist nichts besser denn ein Christ, dem auch dürstet nach
der Gerechtigkeit. Denn sie sind beide Christen.
c) Kein Zwang zum Glauben: Aus dem folget, daß
niemand mag zum Glauben genötigt werden. Denn
genötigt Ding ist nichts nutze. — So ein Oberhand[1]
alle Menschen der ganzen Welt brächt in *ein* Glauben,

1. Obrigkeit.

so wär es ein vermeinter[2] Glaub und nicht ein gelieb-
ter Glaub. Auf das wär es besser, ein jeglicher wär in
sei[ne]m alten [Glauben] als in diesem.

d) Gegen Zwangsbekehrung und Glaubenskrieg: Nit
zwing ein andern. Mit dem Evangelio sollen sie bekehrt werden, nit mit euern Schwertern ... Der Mensch,
der sich untersteht, den Glauben zu mehren mit dem
Schwert, der ist vom Teufel. — Was das Wort nit tun
will, sollst du es nit mit dem Schwert erlangen. Denn
Glauben heißen wir nit nötigen.

11. DIE BEKEHRUNG DER HEIDEN — DIE ABSOLUTHEIT DES CHRISTENTUMS

a) Die Not der Heiden: Ein Heid mag ein Heid sein,
groß im Licht der Natur, und aber unbekannt im Heiligen Geist. Das ist der Jammer dieser Welt, daß der,
so mit feurigen Zungen reden lehrt[1], nicht soll angenommen werden. Sie suchen, und finden und wissen
den Grund nicht, von dem dann Christus sagt: das
Gesetz der Natur, daß wir's halten sollen.

b) Der Auftrag zur Mission: Das ist ein Weissagung,
die da ermahnt die Prediger im Neuen Testament[2],
daß sie nit Pfarrer, Bischöfe, Kapläne, Helfer[3] etc.
sollen sein der Gläubigen, sondern: Geht hin und
suchet Ungläubige, Heiden, Türken. Denn die, bei
denen sie sind, sind nit Heiden ... Zieht hin von ihnen
zu den verlornen Schafen und verkündet das Evangelium, so werdet ihr gestärkt darin.

c) Die Erde als des Christen Vaterland: Gott ist Herr
im Vaterland unter allen Völkern, es ist alles sein.
Darum wo ihr predigt und verkündet mit euerm Wandern, da seid ihr in eures Vaters Haus. Daß ihr nit
könnt sprechen: Wir sind in der Fremde, wir wissen

2. vermeintlicher, unechter.

1. näml. der Heilige Geist. 2. in der Christenheit. 3. Diakone.

und können nix. Die ganze Erden ist das Haus unsers Vaters im Himmel! Darum geht hin in alle Welt und prediget . . .

d) Das universale christliche Heil: In Betrachtung solcher Unfleiß der Christen, damit sie [näml. die Heiden] ihr gütige Herzen der Menschen Gebotsbrechung halber nit verdammt werden, hat Gott also sein Barmherzigkeit über sie gossen und tauft sie selbst in ihrem Herzen. — Wären die Gemeinden fromm und hielten sich im Gesetz Gottes und des Evangelions und ließen die Prediger in Märtyrer verkehrt werden bei den Tatern, Sarazenern, Heiden etc., so würden viel Mord, so der Türk tut, überhebt[4], und würden kommen zu *einem* Schafstall. Sind sie aber der Sprach unbekannt und reden sich damit aus: Was vertrauen sie dann dem Heiligen Geist? — Also wisset in der Kürze von den Völkern und Heiden, die kein Wissen von Christo haben: So sie nit durch den Tauf selig werden, so werden sie durch Christum selig, des Barmherzigkeit ihr Tauf ist.

12. Das selige Leben

a) Seligkeit durch Gott: Allein Gott, der macht selig, und die Menschen können sich in keinem Wege selig machen, und ist ihnen nicht möglich. Allein Gott muß es tuen. — Das sind die größten Werk, die uns Gott beweist, daß er uns allemal mit seligen Leuten versorgt, die uns weisen und führen und lehren sollen in dem ewigen, seligen Leben.

b) Seligkeit im höchsten Gut: Nichts ist das höchst Gut denn das, das untötlich[1] ist und über uns alle ist, und ist ewig, und ist unzergänglich. — So wir wollen im höchsten Gut leben, sollen wir alles das, so zur

4. überflüssig gemacht, erspart.
1. unsterblich.

Hoffart und zum Geiz[2] und zu eigner Wollust dient, von uns tun. — Der Weg zur Seligkeit will still sein, will nit mit Geschrei gehn, sondern von innen aus dem Herzen heraus, und nit von außen ankleibt[3]. — Nun ist die Liebe das Süßeste, so der Leib haben mag auf Erden. Also ist dem Geist das Süßeste die Liebe in Gott. — Ehe wir leugnen sollen das Wort Gottes, so sollen wir Leib und Leben, Weib und Kinder lassen.

c) Das selige Leben als Gegenwartsaufgabe: Das ich hie beschreib vom Wesen im seligen Leben, ist nit, daß ich den Unglaubigen oder den Unwissenden von Christo Lehr geb. Denn nit ein Apostel oder dergleichen bin ich, sondern ein Philosophus nach der deutschen Art. Aber das beschreib ich denen, so in Christo getauft sind, und aber ihn nit hören wollen. — Die Christum kennen, denen schreib ich die Lehr einer christenlichen Polizei[4], den Heiden nit . . . Denn wer will leben seliglich auf Erden, der muß sein Lehr, Regiment und Ordnung auf den Eckstein Christum setzen, derselbig ist alles, aus dem muß es gezogen werden. — So wisset hie in diesem Volumen allein, wie ein selige Polizei[4] je einer gegen den andern als gegen sich selbst wandlen und handlen sollen. Dazu auch, daß ein jeglicher sein Gab, so ihm Gott geben hat, brauche zu der Liebe Gottes und seines Nächsten.

d) Das Leben in der Auferstehungswelt: So wisset, daß nach dem Tod des Menschen der Mensch muß im Fleisch und Blut bleiben und sein, und also am Jüngsten Tag als ein Mensch und nicht als ein Geist auferstehen und eingehen mit Blut und Fleisch in das Reich Gottes. — Darum so wisset, so das Fleisch Adae und die Welt zergehen werden, und nichts Tötlichs[5] wird alsdann sein. So wird der Zirkel der Welt erfüllt werden mit einer ewigen Wohnung, in der kein Tod wird sein, sondern in Ewigkeit ohn End ein Paradeis . . .

2. Habsucht.   3. angeklebt.   4. (politisches) Gemeinwesen.
5. Sterbliches.

Denn da werden die Erwählten kommen und nit die Unerwählten, die Probierten[6] und nit die Unprobierten. Also wird *ein* Schafstall und *ein* Hirt, das ist *ein* Wesen im neuen Leib, aber im alten Adam nit.

6. die Bewährten.

VI. DIE SOZIALE FRAGE

1. Die Grundlagen — das christliche Gemeinwesen

a) Die ehrsame Nahrung aus Gott: So in dem seligen
Leben die ehrsam, aufrecht Nahrung soll beschrieben
werden, so muß der Anfang genommen werden und
gehn aus dem Wort des ewigen Gottes, wie es denn
aus dem Wort gangen ist. Und daß wir aus uns selbst
die ehrsam Nahrung, die göttlich ist und Gott wohl-
gefällig sei, mögen erdenken und erkennen, kann nit
sein. Denn unser Vernunft, Weisheit und alles Wissen
kann dasselbig nit verstehn. Denn ein jeglichs würde
da ihm selbst ein Nahrung schöpfen, seins Gedünkens
gerecht[1], und doch vor Gott ein Diebstahl. Denn Gott
will, daß wir alle gegen einander stehen und leben,
auf daß keiner vor seinem Gericht werde wider seinen
Nächsten gehandelt haben erfunden, oder sich anders
ernährt, als gebührlich zum heiligen Leben ernähre.
b) Die selige Liberalität: Dieweil uns nun Gott begabt
mit mancherlei Gaben, die wir auf Erden gebrauchen
sollen, und[2] dasselbig vom freien Gemüt hinweg tap-
fer und gutwillig ausgeben, wie Paulus sagt: ‚Einen
schnellen Ausgeber und ein fröhlichen hat Gott lieb[3].‘
Nun kann niemand ausgeben, allein es sei denn, daß
er reich sei, es sei, worin es wolle. Der Reiche in der
Arznei[4] soll reichlich ausgeben, das ist Reichtum der
Arznei, viel Können und Wissen . . . So Gott einem
ein solchen Reichtum zugefügt, so soll der Mensch, der
ihn hat, an sich ein Liberalität[5] angeborn haben oder
eingepflanzt, daß er denselben möge reichlich austeilen

1. die nach seiner Meinung gerecht, richtig ist.   2. D. h., so sollen
wir.   3. 2. Kor. 9, 7.   4. Heilkunde, -kunst.   5. Freigebigkeit,
Großmut.

denen, dahin es gehört. — Darum soll niemand sich der Liberalität entschlagen, sondern dieselbigen[6] gebrauchen, nachdem und sie ihm Gott geben hat. Die hat er nun nit geben, zu sparen bis nach seinem Tod seinen Erben. Denn wer weiß der Erben Herz, wie sie geraten? Du sollst dein Gabe geben selbst, und das Geben ist dein Werk, das dir nachfolgt nach dem Tod in jene Welt[7], nach dem du gefragt wirst, um[8] Rechnung zu geben. ·

c) Nächstenliebe als Ordnungsprinzip: Gott hat uns Gaben geben auf Erden und Kräft derselbigen, die ein jeglicher gebrauchen kann und soll, nicht sich selber, sondern dem andern als sich selbst. Darum ist sich wohl zu bedenken, wie ein jegliche Gab zu gebrauchen sei gegen dem Nächsten, damit das Gebot Gottes vollkommen erfüllt werde, wiewohl der Satan diese Liebe des Nächsten gar heftig und viel verhindert hat und auf den Eigennutz zieht und treibet . . . Damit aber nun solches Reich und Eigennutz in vita beata nit eindringen möge, folgt also ein Ordnung der Gaben eines jeglichen gegen dem Nächsten. Denn der den Nächsten liebet, der liebet auch Gott, et econtra. Diese zwei Gebot sind zusammen vermählet wie Weib und Mann, da kein Scheiden der Liebe ist.

2. Gute und schlechte Obrigkeit — Ständeordnung

a) Vollkommene Regierung aus Gott: Gott est maximus, das ist: der mehrest, und weiter keiner mehr. Was sonst ist, das ist alles unter Gott, keiner des andern Herr noch Meister, Gebieter noch Zwinger. — Vollkommen sein wie Gott ist etc.: Also wie Gott im Himmel ist gegen die Seinen, das ist gegen seine Engel und Heiligen. Also ist er und will auch, daß die Obrigkei-

6. näml. Güter, Gaben.　　7. Vgl. Offenb. 14, 13.　　8. darum.

ten mit ihrem Urteil auf Erden nit auf Urteil oder Rach gerichtet seien, sondern auf Frieden. — Das Unvollkommen soll durch das Vollkommen geregiert werden.

b) Gleichheit der Stände und Menschen: Das ist, daß die Erden unser aller gemein[1] ist, und niemand kann sagen: Ich hab mehr denn du . . . Darum ist es in der Welt von Gott gewachsen auf uns alle, denn wir sind alle gleich in der Welt. — Gott will nit, daß Herr und Knecht unter uns sind, sondern alle Brüder. Sollen wir Brüder sein, so müssen wir gleich gegeneinander, Herr und Knecht, sein. — Was bist du, Edelmann? Was bist du, Bürger? Was bist du, Kaufmann? Stinkt dein Dreck nit so übel als des Bauern Dreck? Ja freilich, und noch viel übler dazu! Was machst du aus dir selber, so du doch gleich des Geblüts, Gebeins und Fleisch bist als der Bauer, und gleich so wohl den Würmern, und zu Staub und Aschen und wieder zur Erden werden mußt? Wer will denn dich im Beinhaus neben dem Bauern oder Bettler erkennen oder deine Gebeine edler schätzen? — Der Adel ist von Gott nit, die Arbeit ist von Gott, und der Kaiser. — Darum sind vier Gaben[2] auf Erden, als eine der Feldbau, ein andere die Handwerke, die dritte der Freien Künst, die viert der Obrigkeit. Die alle erhalten sich gegen einander[3], und ein jeder Teil nützet und erhält die andern drei Teil, et econtra. Und also sind diese vier in einander verknüpfet, also daß gar kein Teil den andern verschmähen kann und von sich ausschließen.

c) Zweierlei Obrigkeit: Drum lieget an uns, welcher Obrigkeit wir uns ergeben. Unter der Obrigkeit Gottes werden wir nit verlassen, auch unter der bösen Obrigkeit mit ihren Listen auch nicht. Aber schau einer auf, was er tue. Ist er unter den Bösen, so ist er in ihrer Pilgerschaft . . . Aber besser ist, sich zu den Frommen

---

1. gemeinsam.   2. Begabungen, Aufgaben.   3. untereinander.

halten. Darum ermiß dir, wenn dir ein Obrigkeit etwas gebeut, ob sie von Gott sei oder nicht. Aus ihren Früchten wirst du sie erkennen. Ist sie nit aus Gott, suche eine andere Obrigkeit.

d) Der wahre Regierende: So muß einer, der da will regieren, die Herzen der Menschen sehen; und nach demselbigen Wissen zu handeln. Darum: sieht er in ihr Herz nit, so regiert er irrig und schwer, und ist dem Land übel und Schad. — Darum soll ein Obrigkeit auf drei Stücke gehen: auf Gerechtigkeit, Wahrheit und Weisheit. Der Grundeckstein und Anfang ist die Furcht Gottes, als im Alten Testament exempla waren in Abraham, Moise. Die suchten das Reich Gottes, da ward ihn[en] alles, das ihre Notdurft[4] war, brauchten nit Eigennutz, baueten nicht Schlösser, führeten nicht Pompe[5]. Denn die Furcht Gottes ward so groß, daß sie nie dran dachten, und hatten alles aus Befehl Gottes, nicht aus ihrem Gutdünken und Ratschlag. Also muß es noch heutiges Tages sein.

3. Verteilung der Güter — Eigentum — Zins

a) Der Kaiser als Herr des Bodeneigentums: Des Kaisers ist, daß alle Erden sein sind, und des Menschen ist nichts als allein die Arbeit ... Darum soll keiner sprechen: Der Acker ist mein. Sondern der Acker ist des Kaisers, und hat ihn mir geliehen, mich aus ihm mit meiner Arbeit zu nähren. — Des Kaisers ist der Erdboden. Was aber darauf wächst, ist des, der das erzeugt. Und der Kaiser soll niemand seinen Schweiß nehmen und sein Arbeit. Der Zins aber, so davon geben wird, ist des Kaisers und sonst niemands. — Die Erden soll nit verkauft werden. Keiner soll seinen Acker verkaufen, denn er ist des Kaisers.

4. Bedarf.   5. Pracht.

b) Gemeineigentum: Also hat Gott die Welt geschaffen, daß alle Menschen genugsam darinnen ihr Nahrung haben können . . . Allein daß wir's unter uns gleich austeiln, und keiner dem andern nichts nehm oder entzieh oder sich selbst zueigne, daß des andern sein sollte. — Denn alles so Gott geschaffen hat, das ist der ganzen Gemein geschaffen, keinem allein für sich selbst.— Die Erden ist der Menschen, keines mehr denn des andern.

c) Lebensgüter für alle: Nun wisset unsern Teil, den wir auf der Erden haben, der ist nit unser, also daß wir sprechen mögen: Das Haus ist mein, der Garten ist mein; sondern also sollen wir sprechen: Er ist mein und der Armen, die da mangeln[1]. Denn also gebührt sich dem Reichen zu reden mit ihren Gütern, so sie auf Erden mehr haben als die Hungerigen, daß sie sollen sagen: Das ist mein und meiner Nächsten. — Der selig Freie[2], der sieht die Armen, und so er sie sieht, daß sie nit zu essen haben, so zählt er sie ab und sich mit ihnen, führt sie in sein Küchen über sein Fisch und isset mit ihnen und sie mit ihm, daß ihnen allen gleich viel werde. — So du [Ritter] reitest, so reit dermaßen, daß dein Nächster auch reit. Denn besser ist es, daß der da hinkt, krumm, lahm ist, reite, denn du; du gebest ihm die gute Speis und issest du die böse. Denn er ist krank, du gesund; er bedarf ihrer, du nit.

d) Zinsnehmen als Müßiggang und Diebstahl: So du ausleihst ein Geld, dasselbig um Zins, und du gebrauchest den Zins, und das Hauptgut schwind't nit — was ist das anders denn ein Diebstahl zu vergleichen? . . . Du sollst *dein* Schweiß essen und keinem andern das Sein aus seinen Händen nehmen. Was Schweiß vergießt du in deinem Angesicht, so ein Zins nimmst vom Geld, und dir schwind't das Hauptgut nit? Damit gehst du müßig . . . Du sollst selbst arbeiten, dich selbst ernähren, nit daß dich ein andrer ernähr.

---

1. Mangel haben.　　2. Freigebige, Unabhängige.

4. Arbeit, Produktionsmittel, Sozialprodukt

a) Alle müssen arbeiten: Niemand ist befreit von der Arbeit, das ist: niemand auf Müßiggehn geadelt. — So nun der selig Weg der Nahrung allein in der Arbeit steht und nit in Müßiggehn, sondern zur Arbeit erkannt, so werden hierinnen alle die Nahrung, so nit mit Arbeit gewonnen werden, verworfen.

b) Sinn der Arbeit: Was ist nun die Arbeit der Seligkeit, so aus den Händen gewonnen wird: Die ist's, daß sie gewonnen werd dem Nächsten zu Nutz und ohn sein Schaden, wie dir selbst . . . Mit der Handarbeit ernähren sich vielfältig[e Menschen], dir zu deiner Nahrung und dem Nächsten zu seiner Nahrung, und beide miteinander ohn Reichtum. — Wir sind anfänglich zur Arbeit nit geschaffen, aber durch den Fluch außerhalb des Paradies's zur Arbeit verordnet. — Alle Element aus Gottes Güte geben so viel Überflüssiges, daß nit not ist zur Notdurft[1] so viel Arbeit, das ist sechs Tage in der Woche. So nur wir so brüderlich uns hielten untereinander, so würden vier Tag Arbeit genug sein.

c) Gleicher Anspruch auf Arbeit („Vollbeschäftigung“): Die recht Bruderschaft aber ist die, daß alle Handwerker des Handwerks gleich genießen. Als Exempel: daß die Schuster alle zu arbeiten haben, die mit Zugang[2] und die ohn Zugang.

d) Freiheit der Arbeit: So du in der Liberalität[3] die Gab hast, so mach dich frei selbst, auf daß du dein frei Herz habest und dich niemand hindere. Bist ein Knecht und in einem Dienst, in einem Amt, so geht es dir schwer zu, frei zu sein. Du mußt sorgen auf dein Dienst, daß du ihn versorgest, mehr als auf die Liberalität. So soll aber der, dem Gott Gab und Reichtum geben hat, keins andern sein, sondern sein selbst eigen Herr und

1. Bedarf, Lebensunterhalt.   2. Zulauf, Kundschaft.   3. Situation der Freizügigkeit, Freigebigkeit, Unabhängigkeit.

Willen und Herz, auf daß sie[4] von ihm gehen, und fröhlich, daß ihm Gott geben hat.

e) Müßiggang und Arbeitsunfähigkeit: Und niemand lassen müßig gehn, niemand sein Teil lassen verkaufen, niemand abkaufen, sondern zwingen zur Arbeit seins Munds! Der aber nit arbeiten kann Gebresten[5] halber, dem soll die Liebe von seinem Nächsten mitgeteilt werden.

f) Produktionsmittel u. dgl.: Der Wucherer zerbricht die Straßen [mit seinen Lastfahrzeugen], und der Gemeind ist nit damit geholfen, allein dem Wucherer; . . . es soll aber nit sein, sondern der gemein Nutz soll sein. — Der Kaiser soll der Austeiler sein, den Reichen den Acker leihen, soviel, daß der Arm auch ein Acker hab, und nit der Reich alles . . . Denn die Erden ist darum geben, daß der Mensch davon sich soll ernähren mit seiner Arbeit. — Niemand gehört mehr, denn sein Arbeit erheischen mag. Die geht auf tägliche Nahrung . . . Hast du denn der Gemein Schatz[6], verspielst ihn, versaufest ihn, verhurest ihn oder dergleichen, so ist es ein Diebstahl, und mehr, denn dies's Gebot innhält[7], daß du nimmst der Gemein das Ihr[e], eignest dir's selbst zu.

g) Arbeitsertrag: Allein daß man dem armen Mann sein Arbeit nit nehme, sein Schweiß, sein Blut; sonst gehört dem Kaiser zu, zu haben sein Reichtum aus der Münz. — *Das* ist die Nahrung, darinnen kein Reichtum ist, allein die Notdurft[1]. Denn nit in dem Reichtum steht unser Seligkeit, sondern in der Notdurft. Denn die Notdurft ist ein Liebe. Und darum ein Liebe: sie stellt[8] nit auf Reichtum. — Unser Arbeit soll gewonnen sein, je eins dem andern. Und dem, so nit arbeitet, dem soll auch genommen werden, das er hat, auf daß er arbeite. Denn wie kann, der nit arbeit't, mit Arbeit bezahlt werden?

4. näml. die Gaben.   5. Gebrechen, Krankheit.   6. Besitzt du Gemeineigentum.   7. mehr, als das 9. (10.) Gebot zum Inhalt hat.   8. zielt.

a) Anfängliche Gleichheit der Menschen: Wir sind gegen einander alle Brüder. Und der Nächst, der bei dem[1] ist, der ist sein nächster Bruder. — Nun ist einer wie der ander, keiner mehr noch weniger. — Versteh, daß kein Mensch den andern verachten soll. Was die Sonne bescheint oder der Regen benetzt, das ist alles würdig, ein Kind Gottes zu werden . . . Im nackten Leibe bist du Gott gleich lieb als im Gold, und lieber.

b) Natürliche und geistliche Armut: Weder Könige noch Herren, Reiche oder Mächtige haben vor Gott mehr Freiheit und Erlaubnis denn der Arme. — Der nach der Welt lebt, der ist reich. Der aber nach dem Geist lebt, der ist arm.

c) Die Armen besser als die Reichen: Was die Arbeiter tun, das lobet Gott, und die Armen dergleichen. Was aber die Reichen tun, das ist ein Grollen und ein Unflat vor Gott . . . Darum so fliehe die Reichtümer, halt dich zur Armut, zur Arbeit. — Wo ist ein redlicher, ehrlicher Bissen und Trunk, den der Adel mit christlichen Ehren esse und trink, den sie nit betrüglich, diebisch und schändlich und wölfisch dem armseligen Mann von seinem Schweiß[2] gestohlen, geraubt, betrogen haben?

d) Armut als Seligkeit: Armut ist nit einem jeden leidenlich[3]. Darum selig ist der, der die Armut leidenlich trägt und geduldiglich. Der aber sie nit tragen kann, soll nit dahin geführt werden. — Selig und mehr denn selig ist der Mann, dem Gott die Gnad gibt der Armut. Der die Gnad nit hat, derselbig gedenkt: Wohlan, du bist ein reich Mann mit viel groß Guts und Gelds und allem Wollust, und bist des Gewalts[4] und unter dem Kaiser und Papst . . . So mach dich arm und bettelarm, so verläßt dich der Papst, so verläßt dich der Kaiser,

1. bei einem. 2. Arbeitsleistung. 3. erträglich, bekömmlich.
4. Obrigkeit.

und halten dich fürhin für ein Narren. Jetzt bist du
ruhig, und dein Narrheit ist ein große Weisheit vor
Gott ... Darum mehr denn selig ist der, der die Armut
lieb hat. Es lediget[5] viel von Banden und Gefängnis
der Höllen, es gibt nit Wucher, nit Dieb, nit Mörder
und dergleichen.

6. Ehe und Familie

a) Sinn und Unauflöslichkeit der Ehe: Die Natur lehrt
die Ehe, also daß zwei zusammen gehören. So ist auch
die Natur in ihrem Licht so groß, daß sie da ein Ordnung macht, wie die[1] sein soll, und wohnen und leben.
Aber die Natur hat da kein Gerechtigkeit[2] nimmermehr, sich des zu unterstehen. Denn es ist die Gerechtigkeit Gottes, daß allein Gott seinem Werk sein Weg
zeig, einem jeglichen, was ihm zusteht. — Also will
Gott, daß ein jegliche habe ihren Mann, und ein jeglicher sein Weib. Das ist die Ordnung des seligen Lebens. Darauf folgt nun, daß von der Geburt einem
jeglichen sein Weib angeborn wird, desgleichen jeder
ihr Mann angeborn wird. So sie nun zu ihren Tagen
kommen, daß sie zusammengefügt werden im Namen
des Herrn, jetzt sind sie beieinander, wie sie Gott zu-
sammenfügt ... So wisset nun hierauf, daß ein jeglichs
Meidlein eigen ist und vergeben in Mutter Leib[3]. Also
auch ein jeglicher Knab eigen ist und verheirat sei[ne]m
Weib in Mutter Leib ... Darum so folgt nun das Gebot von Gott: Du sollt keins andern Gemahls begehrn
noch nehmen.

b) Elternpflicht an den Kindern: Wie selig ist der Vater, der sein Kind mit der Ruten zieht[4] und kriegt's in
die Furcht und in den Weg, daß das Kind des Vaters

---

5. befreit.

1. näml. die Ehe.   2. Recht.   3. von Geburt an, bestimmungs-
gemäß.   4. erzieht.

Bildnis und Ruten vor sich sieht, wenn schon sein Vater weit von ihm ist oder schon tot ist. Das ist ein Vater, der vor Gott groß gelobt wird, der seine Kinder zieht nach Gottes Willen ... Wie lästerlich stehet der vor Gott, der sein Kind nie geschlagen hat! Der es mit lachendem Mund aufzieht, der hasset sein Kind.

c) Kindespflicht an den Eltern: Wie ein Großes ist das, so die Mutter stirbt an der Frucht! Wer will einer solchen Mutter den Tod vergelten? Dein armer Vater und Mutter, die ihrem Mund abgebrochen haben und dich gespeiset damit — wer will das bezahlen, daß er sagen könne: Ich hab das vergolten? Darum je ärmer wir erzogen werden, je größer die Ehr gegen Vater und Mutter sein soll; und sich ihrer nit beschämen in keinem Reichtum noch Gewalt[5]! — Also so wir betrachten, wie wir von unsern Eltern geborn sind, aus Mutter Leib nacket kommen, daß wir auch unsern Vater und Mutter, so sie nacket sind, auch bekleiden, wie sie uns in der Wiegen bekleid't haben ... das ist: ihnen beistehn und helfen in allen Nöten ... Denn du bist ihn[en] all Mal mehr schuldig denn sie dir. Du bist aus ihnen ein Mensch worden, sie von dir nit!

7. Todesstrafe und Krieg

a) Gegen die Todesstrafe: Dieweil nun Gott gebeut: ‚Du sollst niemand töten‘ (das ist: aus deinem Mutwillen und Übermut, wie obsteht), so sollst du auch niemand töten mit Recht[1]. — Darum so hast du auch kein Recht noch Fug, zu töten den Menschen mit oder ohn Urteil, darum daß du sagst, du seiest die Obrigkeit. Wo ist denn dein Obrigkeit her? Nämlich von Gott! Ei, so tu, was er dich heißet! Was sagt er im Alten Testament? ‚Du sollst nit töten.‘ — Strafen und

5. Macht, Obrigkeitsamt.
1. auf dem Wege der Rechtsprechung.

das Leben nehmen ist nit christlich. Wir sind alle Brüder; so wir nun Brüder sind, so sind wir nit Mörder und Henker gegen einander ... Wir sollen den Nächsten lieben, — und henken ihn! Wer ist der Nächst? Ist nit die Obrigkeit der Nächst dem Sünder? Ja; denn der Sünder fällt in ihr Hand und Straf. Nun sie soll sein Nächster sein, was ist ihr Amt, denn daß sie ihn bekehren soll in das Leben? — Der durch den Mutwillen eins andern um sein Leben kommt, der ist bei Gott; und der mit dem Gericht gericht't wird, der schreiet Mord über seinen Richter.

b) Gegen den Krieg: Nun aber, dieweil dies Gebot[2] den leiblichen Tod antrifft[3], so werden auch die Krieger hierinn[en] begriffen, Schlachten, Stürmen und dergleichen. Denn wo geschehen größer Mörd als in Kriegen, da vermessene Totschläg geschehen? Einer des andern wartet, einer des andern begehrt, je einer dem andern stillsteht, siehet und weiß sein Tod. Dies Kriegen und Totschlagen ist auf einer Seiten wie auf der anderen ... Also sind sie beide Totschläger, der so erschlagen wird, und der so übrig bleibt.

c) Erlaubter Verteidigungskrieg: Ein Krieg aber wird ausgenommen, und das ist der: So du sitzest im Frieden, so kommt der Feind, will dir dein Leben nehmen; das sollst du beschirmen. Denn Gott beschirmt dir's auch, so sollst du's auch tun, so lang du kannst. — Wir sollen das Leben beschirmen, wie wir können und mögen, und uns nit selbst darum bringen, im Frieden leben und ruhen. So aber der Feind nit still sitzen will, so sind unsere Waffen unser Arznei.

d) Gegen den Religionskrieg: Was ist's: Man hat Orden mit Landsknechten, den Türken zu überwinden, zu erschlagen. Was ist das anders als Mörderei und ein vermessenliche Mörderei? ... *Das* ist nun die Wahrheit: Der Feind Christi soll überwunden werden, aber

2. das Fünfte Gebot.   3. betrifft.

mit der Lehr, nit mit Mörderei. Denn Gott hat nit ge-mördet zum Glauben. — Denn nit mit unsern Spießen, sondern mit dem Wort Gottes sollen sie bekehrt wer-den.

8. Die Welt der besseren Zukunft

a) Vergänglichkeit der irdischen Reiche: So alle Reiche zergehn müssen, so muß auch der Adel zergehn, die Könige zergehn, das Römerreich zergehn. Denn diese Dinge sind irdisch Reich, widerstehn dem Gebot Got-tes und dem Testament, das er uns auf Erden verbun-den[1] hat ... So sie ihm nun widerstehn, so widerstehn sie darum: von wegen ihrer besonderen Art ihres eige-nen Reichs. Denn Gott will nichts Besonderes haben, sondern *einen* Menschen, das ist *einen* Adam, das ist einerlei Schafe.

b) Gottes Reich auf Erden: Nun aber nach diesem, so wird das Reich Gottes ein ewig Reich bleiben, und der Teufel wird ihm nit darein fallen ... Und sein Reich wird keusch und rein und selig sein und bleiben, und nit beladen mit Krankheiten und Elend als jetzt. Und werden doch auf Erden sein und wohnen, aber unter der Herrschaft Gottes ... Also wird Gott regieren den Menschen und das Vieh, die Frucht des Felds und die Wasser im Meer, daß wir nit dürfen[2] in den Dingen unser Leben wagen. Denn er ist gütig, gnädig und barmherzig, der ewig Gott. — Dann wird aus sein all Menschengesetz, Lehr, Weisheit, Fürsichtigkeit[3] und alles, womit sie umgehen. Wir werden ihre Bücher nit haben, ihr Auslegen nit, ihr Predigt nit. Denn uns wird Gott vor den falschen Christen behüten durch seinen Segen ... Denn die all werden weichen müssen dem Wort Gottes, und da wird nichts herrschen als

1. aufgetragen, auferlegt.   2. brauchen.   3. Vorsicht, Vorsorge.

allein das Wort Gottes. — Wo meinest du, daß das geschehen wird? Nämlich auf Erden!

c) Das bessere Himmelreich: Und dabei gedenk, daß hie auf Erden kein Freud soll sein ohn Schweiß, Angst und Not. Aber so wir von hinnen scheiden, so kommen wir in den ewigen Leib. Derselbig wird Ruhe und Fried haben, Freud über Freud, Einigkeit über Einigkeit in Einigkeit.

d) Das Bleibende — der Mensch: Also ist der Menschen Gebäu nichts als ein Steinhaufen. Und all ihr Tempel und Kirchen und die Ding werden zergehn. Allein der Tempel, in dem Gott wohnet, der bleibt: das ist der Mensch[4].

4. Vgl. 1. Kor. 6, 19.

VERZEICHNIS DER BELEGSTELLEN

Nachstehend werden die Belegstellen zu den Auswahltexten auf S. 33 ff. in der Reihenfolge der Abschnitte und Absätze verzeichnet. Mehrere Belegstellen zum gleichen Absatz beziehen sich auf die durch Gedankenstrich von einander geschiedenen Textstücke des betreffenden Absatzes.

Die römischen Zahlen und Abkürzungen vor den Seitenzahlen beziehen sich auf folgende Druckausgaben:

Römische Bandzahl: Paracelsus: Sämtliche Werke. 1. Abt.: Medizinische, naturwissenschaftliche und philosophische Schriften. Hrsg. Karl Sudhoff. Bd. I—XIV. München, Berlin 1922—33.

Th + römische Bandzahl: Paracelsus: Sämtliche Werke. 2. Abt.: Theologische und religionsphilosophische Schriften. Hrsg. Kurt Goldammer, unter Mitwirkung von Johann Daniel Achelis, Heinrich Bornkamm, Donald Brinkmann, Paul Diepgen, Gerhard Eis, Erwin Metzke und Walther Mitzka. Bd. IV ff. Wiesbaden 1955 ff. (erscheint laufend).

M: Paracelsus: Sämtliche Werke. 2. Abt. Bd. I. Hrsg. Wilhelm Matthießen. München 1923 (unkritischer Vorabdruck zur 2. Abt. der Paracelsus-Gesamtausgabe, vgl. den vorigen Titel).

SSchr: Paracelsus: Sozialethische und sozialpolitische Schriften. Hrsg. Kurt Goldammer. = Civitas Gentium 9. Tübingen 1952.

Abgekürzte Werktitel beziehen sich auf noch ungedruckte Werke, die in den kommenden Jahren im Rahmen der 2. Abt. der Paracelsus-Gesamtausgabe erscheinen werden. Zur Auflösung der Titelabkürzungen vgl. Verzeichnis der wichtigeren Werke des Paracelsus (unten S. 195 ff.). Die Zahlen hinter den abgekürzten Werktiteln zeigen die Seitenzahl der jeweiligen Haupthandschrift an, in der das betreffende Werk handschriftlich überliefert ist. Diese Handschriftenseitenzahlen werden in der 2. Abt. der Paracelsus-Gesamtausgabe im Text mit abgedruckt (kursiv, in eckigen Klammern) und ermöglichen somit indirekt das Auffinden der jeweiligen Textstelle auch in der Gesamtausgabe.

XIII, 302. — b) XII, 61. — XII, 120. — c) 1. Matth.-Komm. zu Kp. 15, Anf. — 1. Matth.-Komm. zu Kp. 21, 42. — d) 2. Matth.-Komm. 139 a. — e) Th V, 207. — Th V, 208. — Th IV, 220.

8. Das Ende des Menschen — Tod und Bestimmung. — a) IX, 98 f. — I, 206. — II, 76. — III, 228. — b) XII, 454. — VIII, 73. — XI, 333 f. — c) XII, 18. — XII, 273. — XIV, 103.

V. Religion

1. Paracelsus und die Theologie. — a) I, 175 f. — I, 228 f. — b) XI, 274. — c) Vorrede üb. Evangelisten 3a. — d) De secretis 431 b; 432a.

2. Gott. — a) Th IV, 186. — XIII, 296. — b) Th IV, 287. — c) Th V, 27. — Th IV, 185. — d) Th VI, 159. — e) M 137. — f) Th VII, 125 f.

3. Christus. — a) M 84 f. — b) Th IV, 142. — M 136 f. — Th V, 127 f. — c) Serm. de miraculis inf. 344 b. — d) De thoro legit. 553 a. — e) Serm. de miraculis inf. 341 a. — f) Th V, 93 f. — g) Th V, 200 f.

4. Der Leib Christi (die Sakramente). — a) XII, 309. — XII, 310. — b) Spät. Entwürfe Matth. 31 b. — c) Th VI, 17. — d) Th IV, 119. — e) M 303. — M 309.

5. Die Gottesmutter. — a) Salve Regina 367 b. — De virg. sancta 179 a. — b) De virg. sancta 179 b. — V. d. Geburt Mariae 378 a. — c) De virg. sancta 179 b. — Salve Regina 368 b/369 a. — Salve Regina 369 b.

6. Der Engel im Menschen. — a) XII, 300. — b) XII, 305. — XII, 305.

7. Sünde und Vergebung, freier und unfreier Wille, Glaube und Werke. — a) M 200. — b) Th VII, 5 (Psalmen-Kommentar). — c) M 283 f. — M 214. — d) Frühe Entwürfe Matth. 212. — Paraphrasis in parab. 54 b. — e) M 71. — 2. Matth.-Komm. 167 a. — f) Frühe Entwürfe Matth. 246. — XII, 292. — g) Frühe Entwürfe Matth. 248. — Th IV. 183. — h) Paraphrasis in parab. 61 a. — Anhang frühe Entwürfe Matth. 43 b. — i) Anhang frühe Entwürfe Matth. 51 b. — k) Anhang frühe Entwürfe Matth. 45 b. — Anhang frühe Entwürfe Matth. 65 b.

8. Licht der Natur und Licht des Geistes. — a) Vorrede üb.

Evangelisten 2 a. — b) Th VI, 80. — 1. Matth.-Komm. zu Kapitel 5, 3. — X, 646. — XII, 121. — c) XIV, 115 f. — d) XII, 8. — XII, 273.

9. Kritik an der Kirche. — a) 1. Matth.-Komm. zu Kapitel 16, 18. — De septem punctis 207 b. — b) De secretis 444 a. — Serm. in incantatores 477 b. — c) Serm. in similitudines 288 b. — Spät. Entwürfe Matth. 27 b. — Spät. Entwürfe Matth.·49 a. — d) Anhang frühe Entwürfe Matth. 55 a; 55 b.

10. Toleranz. — a) M 278 f. — b) Anhang frühe Entwürfe Matth. 54 a. — Anhang frühe Entwürfe Matth. 49 a. — c) Serm. weltl. Gewalt 128 a. — Th V, 153. — d) De septem punctis 223 a. — 1. Matth.-Komm. zu Kapitel 5, 10.

11. Die Bekehrung der Heiden — die Absolutheit des Christentums. — a) XII, 29 f. — b) Th V, 24 f. — c) Th IV, 285. — d) Th V, 227. — Th V, 228 f. — Th V, 229.

12. Das selige Leben. — a) Anhang frühe Entwürfe Matth. 60 a. — M 91. — b) M 111. — M 123. — De septem punctis 224 b. — Anhang frühe Entwürfe Matth. 41 b. — Anhang frühe Entwürfe Matth. 37 b. — c) M 76. — M 84. — M 85. — d) XII, 306. — XII, 321.

VI. Die soziale Frage

1. Die Grundlagen — das christliche Gemeinwesen. — a) SSchr 134. — b) SSchr 153. — SSchr 154. — c) SSchr 117.

2. Gute und schlechte Obrigkeit — Ständeordnung. — a) 3. Matth.-Komm. 220 b. — 2. Matth.-Komm. 132 a. — Serm. der Erkanntnus 48 a. — b) Th V, 231. — Th VI, 121. — SSchr 227. — SSchr 190. — SSchr 118. — c) SSchr. 181. — d) M 148. — SSchr. 183 f.

3. Verteilung der Güter — Eigentum — Zins. — a) SSchr 188. — SSchr 196. — SSchr 197. — b) SSchr 236. — SSchr 247. — SSchr 147. — c) Th VI, 54. — SSchr 160. — SSchr 166. — d) SSchr 143.

4. Arbeit, Produktionsmittel, Sozialprodukt. — a) SSchr 190. SSchr 135. — b) SSchr 135. — SSchr 200. — SSchr 205. — c) SSchr 125. — d) SSchr 156. — e) SSchr 239. — f) Zehn-Gebote-Komm. zum 10. Gebot, vgl. Th VII. — SSchr 188 f. — SSchr 247 f. — g) SSchr 189. — SSchr 135. — SSchr 144.

5. Arm und Reich — Bruderschaft der Menschen. — a) 3. Matth.-

Komm. 223 a. — Th IV, 125. — Spät. Entwürfe Matth. 36 b. — b) Zehn-Gebote-Komm. zum 9. Gebot, vgl. Th VII. — Serm. de miraculis inf. 338 b. — c) SSchr. 245. — Serm. de miraculis obs. 351 a. — d) SSchr 118. — M 83.

6. *Ehe und Familie.* — a) Th V, 142. — SSchr 280. — b) SSchr 294. — c) SSchr 290. — SSchr 285 f.

7. *Todesstrafe und Krieg.* — a) SSchr 306. — SSchr 307. — SSchr 308. — Frühe Entwürfe Matth. 240. — b) SSchr 310 f. — c) SSchr 313. — SSchr 314. — d) SSchr 311 f. — SSchr 315.

8. *Die Welt der besseren Zukunft.* — a) Th IV, 344 f. — b) SSchr 325. — SSchr 328. — SSchr 197. — c) SSchr 152. — d) 2. Matth.-Komm. 170 a.

VERZEICHNIS DER WICHTIGEREN WERKE DES PARACELSUS

Die Band- und Seitenzahlen hinter den Werktiteln beziehen sich auf die oben genannten Quellendrucke (vgl. S. 189).

1. MEDIZINISCHE, NATURKUNDLICHE UND PHILOSOPHISCHE SCHRIFTEN

(in der Einteilung der 1. Abt. der Paracelsus-Gesamtausgabe, hrsg. v. Karl Sudhoff)

I. Band: Elf Traktat von Ursprung, Ursachen, Zeichen und Kur einzelner Krankheiten (1—162). — Volumen medicinae Paramirum (163—239). — Von der Gebärung der empfindlichen Dinge in der Vernunft (241—283). — De generatione hominis (285—306). — De podagricis et suis speciebus et morbis annexis & Von den podagrischen Krankheiten und was ihnen anhängig (309—372).

II. Band: Herbarius (1—57). — Von den natürlichen Dingen (59—175). — Von den natürlichen Bädern (225—260). — Von den natürlichen Wassern (273—345). — Das sechste, siebente und neunte Buch in der Arznei (357—486).

III. Band: Von den ersten dreien principiis oder essentiis (1—11). — De viribus membrorum (15—28). — De mineralibus (29—63). — De transmutationibus metallorum (67—88). — Bücher Archidoxis (91—200). — De renovatione & Vom langen Leben & De vita longa (201—292). — Liber praeparationum (309—359). — De mumia (375—376).

IV. Band: Intimatio, Baseler Vorlesungsankündigung (1—4). — De gradibus et compositionibus receptorum et naturalium (5—67). — Hörernachschriften aus der Vorlesung über chirurgische Krankheiten (149—368). — De modo pharmacandi (435—468). — Kommentare zu den Aphorismen des Hippokrates (491—546).

V. Band: Vorlesung über tartarische Krankheiten (1—122). — Nachschrift aus der Vorlesung „Der Paragraphen 14 Bücher" (205—265). — Nachschriften aus der Vorlesung über

2. Theologische, religionsphilosophische und sozial-ethische Schriften

(in der Einteilung der 2. Abt. der Paracelsus-Gesamtausgabe, hrsg. v. Kurt Goldammer u. a.)

I. Gruppe: Einzelschriften

a) Allgemeines zum „seligen Leben"; Gott, Christus, Kirche: Prologus in vitam beatam (M 67—86). — De summo et aeterno bono (M 109—130). — De religione perpetua (M 87 bis 107). — De ecclesiis veteris et novi testamenti (M 261 bis 295). — De re templi ecclesiastica. — De officiis, beneficiis et stipendiis (M 217—238). — De potentia gratiae dei (M 131 bis 151). — De martyrio Christi (M 175—195). — De remissione peccatorum (M 197—216). — De venerandis sanctis (Auszug SSchr 285—287). — De resurrectione et glorificatione corporum & De resurrectione mortuorum (M 297—316).

b) Ethisches, Soziales und Politisches: De felici liberalitate (SSchr 153—173). — De honestis utrisque divitiis (SSchr 134 bis 152). — De ordine doni (SSchr 117—133). — De tempore laboris et requiei (SSchr 200—210). — De virtute humana (SSchr 103—116). — De praedestinatione et libera voluntate. — De magnificis et superbis (SSchr 174—186). — De generatione et destructione regnorum. — De iustitia.

c) Eheschriften: De thoro legitimo. — De thoro, vidua et virgine. — De nupta (Auszug SSchr 236—249; 279—285). — Von der Ehe Ordnung und Eigenschaft.

d) Taufschriften: Vom Tauf der Christen (M 317—359). — De baptismate Christiano.

e) Buß- und Beichtschriften: De confessione, poenitentia et remissione. — De poenitentiis. — Vom Fasten und Kasteien (Auszug SSchr 225—228).

f) Dogmatisches und Polemisches: De secretis secretorum theologiae. — De genealogia Christi. — De septem punctis idolatriae Christianae. — De sancta trinitate. — De imaginibus idolatriae.

II. Gruppe: Bibelauslegungen

a) Alttestamentliche Kommentare: Psalmenkommentar (Th IV, 1—347; Th V, 1—255; Th VI, 1—238; Th VII, 1 ff.). — Auslegung über die Zehn Gebote Gottes (Auszug SSchr 288 bis 295; 304—316; vgl. Th VII). — Danielkommentar (Th VII). — Jesajakommentar (Th VII).

b) Neutestamentliche Kommentare: Vorrede über die vier Evangelisten. — 1. Matthäuskommentar. — 2. Matthäuskommentar. — 3. Matthäuskommentar. — Frühe Entwürfe zum Matthäuskommentar & Anhang zu den Frühen Entwürfen zum Matthäuskommentar. — Spätere Entwürfe zum Matthäuskommentar. — Johanneskommentar.

III. Gruppe: Abendmahlsschriften

De coena domini ad Clementem Septimum. — De coena domini prologus et initium. — De coena domini ex cap. I., III., IV. Johannis & De coena domini ex cap. VI. Johannis. — De coena domini ex auctoribus ceteris evangelii. — Ex Paulo, I. Cor., quae ad secundum regenerationem et secundum Adamum attinent & Quae ex Sancto Paulo de coena domini ad Galatas, Ephesios, Philippenses, Thessalonicenses, Timotheum, Titum. — Coena domini declaratio. — Modus missae. — De sacramento corporis Christi, einzunehmen zur Seligkeit.

IV. Gruppe: Sermones

Sermones der Erkanntnus ad Clementem Septimum. — Sermones in similitudines evangeliorum & Alia paraphrasis in parabolas Christi. — Sermones de miraculis Christi super obsessos. — Sermones de miraculis Christi super infirmos. — Sermones de antichristo & Sermones in incantatores & Sermones in pseudodoctores. — Sermo „Date Caesari quae sunt Caesaris" (SSchr 187—199). — Sermo, ob der weltlich Gewalt über das Blut zu richten hab und ob der Glaub zu strafen sei.

V. Gruppe: Marienschriften

De virgine sancta theotoca. — Von der Geburt Mariae und Christi. — Vorred in das Salve Regina.

LITERATURVERZEICHNIS

1. Bibliographie

Sudhoff, Karl: Versuch einer Kritik der Echtheit der Paracelsischen Schriften. – 1. Teil: Bibliographia Paracelsica. Berlin 1894. Neudruck Graz 1958. – 2. Teil: P.-Handschriften. Berlin 1899.

Sudhoff, Karl: Nachweise zur P.-Literatur. Beilage zu den Acta Paracelsica 1–5. München 1932.

Weimann, Karl-Heinz: P.-Bibliographie 1932–1960. Mit einem Verzeichnis neu entdeckter P.-Handschriften (1900 bis 1960). Wiesbaden 1963. = Kosmosophie Bd 2.

Weimann, Karl-Heinz: Die P.-Literatur seit Kriegsende. Ein Forschungsbericht. In: Deutsche Vierteljahresschrift f. Literaturwissenschaft und Geistesgeschichte 34 (1960).

2. Textausgaben

Paracelsus, Theophrast v. Hohenheim, gen.: Sämtliche Werke. – 1. Abt.: Medizinische, naturwissenschaftliche und philosophische Schriften. Hrsg. Karl Sudhoff. Bd. 1–14. München, Berlin 1922–33. – Dazu Registerband. Bearbeitet v. Martin Müller u. Robert Blaser (im Druck). – 2. Abt.: Theologische und religionsphilosophische Schriften. Hrsg. Kurt Goldammer u. a. Bd. 2 ff. (z. Zt.: 2,2.4.5.6.7 nebst Suppl.) Wiesbaden 1955 ff. (erscheint laufend). – Dazu Vorabdruck: 2. Abt., Bd. 1. Hrsg. Wilhelm Matthießen. München 1923.

Ders.: Bücher und Schriften. Hrsg. Johannes Huser. Bd. 1 bis 10. Basel 1589 ff. – Davon Nachdruck, hrsg. Kurt Goldammer. Bd. 1 ff. Hildesheim, New York 1971 ff. – Dazu: P., Sämtliche Werke nach der Huserschen Gesamtausgabe zum ersten Mal in neuzeitliches Deutsch übersetzt, v. Bernhard Aschner. Bd. 1–4. Jena 1926–32.

Ders.: Sämtliche Werke, in zeitgemäßer Kürzung. Hrsg. Josef Strebel. Bd. 1–8. St. Gallen 1944–49.

Ders.: Werke. Besorgt von Will-Erich Peuckert. Bd. 1–5. Darmstadt 1965–1968.

Ders.: Die Kärntner Schriften. Ausgabe des Landes Kärnten. Hrsg. Kurt Goldammer u. a. Klagenfurt 1955. (Bibliophile Ausgabe.)

Ders.: Sozialethische und sozialpolitische Schriften. Hrsg. Kurt Goldammer. = Civitas Gentium 9. Tübingen 1952.

Ders.: Schriften. Hrsg. Hans Kayser. Leipzig 1921 (Auswahl).

Ders.: Die Geheimnisse. Ein Lesebuch aus seinen Schriften. Hrsg. Will-Erich Peuckert. = Sammlung Dieterich 83. Leipzig 1941.

Ders.: Leben und Lebensweisheit in Selbstzeugnissen. Hrsg. Karl Bittel. = Reclams Universal-Bibliothek 7567/68. Leipzig 1944. 2. Aufl. 1949 (Auswahl biographischer Zeugnisse).

Ders.: Das Licht der Natur. Philosophische Schriften. Hrsg. Rolf Löther und Siegfried Wollgast. Leipzig 1973. = Reclams Universal-Bibliothek 534.

Ders.: Himmel und Erde machen den Menschen. Weisheit des P. Hrsg. Robert Blaser. Salzburg 1958.

Ders.: Liber de nymphis, sylphis, pygmaeis et salamandris et de caeteris spiritibus. Hrsg. Robert Blaser. Bern 1960. = Altdeutsche Übungstexte, Band 16.

Ders.: Das Buch der Erkanntnus. Hrsg. Kurt Goldammer. Berlin 1964. = Texte des späten Mittelalters und der frühen Neuzeit, Heft 18.

3. ZUSAMMENFASSENDE DARSTELLUNGEN

Goldammer, Kurt: Paracelsus. Natur u. Offenbarung. = Heilkunde u. Geisteswelt 5. Hannover-Kirchrode 1953.

Pagel, Walter: Paracelsus. An Introduction to Philosophical Medicine in the Era of the Renaissance. Basel u. New York 1958.

Schipperges, Heinrich: Paracelsus. Der Mensch im Licht der Natur. Stuttgart 1974.

Vogt, Alfred: Theophrastus P. als Arzt und Philosoph. Stuttgart 1956.

Zekert, Otto: Paracelsus. Europäer im 16. Jahrhundert. Stuttgart, Berlin, Köln, Mainz 1968.

Weitere Darstellungen: *Balossi*, Sergio: Paracelso. Pisa 1967. = Scientia veterum 103. – *Gundolf*, Friedrich: Paracelsus. Berlin 1927. – *Hartmann*, Reinhold Julius: Theophrast v. Hohenheim. Stuttgart, Berlin 1904. – *Hemleben*, Johannes: Paracelsus. Revolutionär, Arzt u. Christ. 2. Aufl. Frauenfeld, Stuttgart 1973. = Wirkung u. Gestalt 11. – *Kaiser*, Ernst: P. in Selbstzeugnissen u. Bilddokumenten. Reinbek bei Hamburg 1969. = rowohlts monographien. 149. – *Kerner*, Dieter: Paracelsus. Leben u. Werk. Stuttgart 1965. – *Koyré*, Alexandre: Paracelse. In: Revue d'histoire et de philosophie religieuses 13 (1933), 46–75. 145–163. Auch in: Mystiques, Spirituels, Alchimistes du XVIᵉ siècle allemand. Paris 1955. – *Peuckert*, Will-Erich: Theophrastus P. 3. Aufl. Stuttgart, Berlin 1944. (Nachdruck Hildesheim 1976.) – *Sartorius Frhr. v. Waltershausen*, Bodo: P. am Eingang der deutschen Bildungsgeschichte. Leipzig 1935. = Forschungen zur Geschichte der Philosophie u. der Pädagogik 16. – *Strunz*, Franz: Theophrastus P. Sein Leben u. seine Persönlichkeit. Ein Beitrag zur Geistesgeschichte der deutschen Renaissance. Leipzig 1903. – *Strunz*, Franz: Paracelsus. Eine Studie. Leipzig 1924. – *Strunz*, Franz: Theophrastus P. Idee u. Problem seiner Weltanschauung. Salzburg, Leipzig 1937. = Deutsche Geistesgeschichte in Einzeldarstellungen 2. – *Sudhoff*, Karl: Paracelsus. Ein deutsches Lebensbild aus den Tagen der Renaissance. Leipzig 1936. Sammelwerke: *Paracelsus im Blickfeld heutiger wissenschaftsgeschichtlicher Betrachtung.* Hrsg. Sepp Domandl. Wien 1974. = Salzburger Beiträge zur Paracelsusforschung 12. – *Festschrift 16. Paracelsustag.* Zum 425. Todestag von Paracelsus. Salzburg 1966. – *Die ganze Welt ein Apotheken.* Festschrift für Otto Zekert zum 75. Geburtstag. Hrsg. Sepp Domandl. Wien 1969. = Salzburger Beiträge zur Paracelsusforschung 8. – *Paracelsus. Werk u. Wirkung.* Festgabe für Kurt Goldammer zum 60. Geburtstag. Hrsg. Sepp Domandl. Wien 1975. = Salzburger Beiträge zur Paracelsusforschung 13.

4. Biographie

Goldammer, Kurt: Die geistlichen Lehrer des Theophrastus P. Zu Hohenheims Bildungserlebnis und zur geistigen Welt sei-

ner Jugend. In: Carinthia (I) 147 (1957), 525–559. – *Münster*,
Ladislao: Besteht noch eine Möglichkeit, das notarielle Privi-
leg des Doktorexamens von Theophrast von Hohenheim in
Ferrara aufzufinden? In: Die ganze Welt ein Apotheken. Wien
1969. S. 173–183. – *Weimann*, Karl-Heinz: Was wissen wir
wirklich über die Wanderjahre des Paracelsus? In: Sudhoffs Archiv f. Gesch. d. Med. 44 (1960), 218–223 – *Klein*,
Herbert: P. u. d. Bauernkrieg. In: Mitteilungen der Ges. f.
Salzburger Landeskunde 9 (1951), 176–178. – *Wickers-
heimer*, Ernest: Paracelse à Strasbourg. In: Centaurus 1
1950/51), 356–365. – *Blaser*, Robert: Neue Erkenntnisse
zur Basler Zeit des Paracelsus. = Supplementum zu den
Nova Acta Paracelsica 6 (1953). – *Blaser*, Robert: »Amplo
stipendio invitatus«. Zur Frage der Stellung u. Besoldung
des P. in Basel. In: Sudhoffs Archiv f. Gesch. d. Med. 41
(1957), 143–153. – *Greiner*, Karl: P. im Lande seiner Väter.
Salzburg 1961. = Salzburger Beiträge zur Paracelsusforschung 2. – *Bittel*, Karl: P. u. seine Vaterstadt Villach. In:
Carinthia (I) 143 (1953), 549–572. – *Silber*, Max: P. u. Salzburg. In: Theophrastus Paracelsus. Hrsg. Fritz Jaeger. Salzburg 1941. S. 42–50. – *Rosner*, Edwin: Weilte P. dreimal in
Salzburg? In: Paracelsus. Werk und Wirkung. Wien 1975.
S. 205–216. *Goldammer*, Kurt: Neues zur Lebensgeschichte
u. Persönlichkeit des P.; I: War P. Doktor der Theologie?
II: Die Ehelosigkeit des P. In: Theol. Zeitschr. 3 (1947),
191–221. Vgl. auch die Gesamtdarstellungen (oben Kp. 3).

5. Einzelne Wissenszweige

a) Philosophie und philosophische Naturwissenschaft
Weinhandl, Ferdinand: P.-Studien. Hrsg. Sepp Domandl.
Wien 1970. = Salzburger Beiträge zur Paracelsusforschung
10. – *Braun*, Lucianus (Lucien): P. und die Philosophiege-
schichte. Wien 1965. = Salzburger Beiträge zur Paracelsusforschung 5. – *Blaser*, Robert H.: Paracelse et sa conception
de la nature. = Travaux d'humanisme et de renaissance 3.
Genf 1950. – *Oesterle*, Friedrich: Die Anthropologie des
Paracelsus. Diss. Tübingen 1937. = Neue deutsche Forschungen, Abt. Charakterologie, psychologische und philosophische Anthropologie 5 (Bd. 151 der Gesamtreihe). Berlin 1937. – *Metzke*, Erwin: Erfahrung u. Natur in der Ge-

dankenwelt des P. In: Blätter f. deutsche Philosophie 13 (1939), 74–100. – *Metzke*, Erwin: Mensch, Gestirn u. Geschichte bei P. In: Blätter f. deutsche Philosophie 15 (1941), 241–306. – *Kämmerer*, Ernst Wilhelm: Das Leib-Seele-Geist-Problem bei P. u. einigen Autoren des 17. Jahrhunderts. Wiesbaden 1971. = Kosmosophie Bd. 3. – *Braun*. Lucien: P. u. der Aufbau der Episteme seiner Zeit. In: Die ganze Welt ein Apotheken. Wien 1969. S. 7–18. – *Mariel*, Pierre: Paracelse ou le tournement de savoir. Paris 1974. – *Schumacher*, Käthe: Die Signaturenlehre bei P. Diss. Köln 1953 (maschschr.). – *Domandl*, Sepp: Erziehung und Menschenbild bei P. Anfänge einer verantwortungsbewußten Pädagogik. Wien 1970. = Salzburger Beiträge zur Paracelsusforschung 9. – *Goldammer*, Kurt: P., Humanisten u. Humanismus. Ein Beitrag zur kultur- und geistesgeschichtlichen Stellung Hohenheims. Wien 1964. = Salzburger Beiträge zur Paracelsusforschung 4. – *Ders.:* Der Beitrag des P. zur neuen wissenschaftl. Methodologie u. Erkenntnislehre. In: Medizinhistorisches Journal 1 (1966), S. 75–95. – *Ders.:* Das Menschenbild des P. zwischen theologischer Tradition, Mythologie u. Naturwissenschaft. In: Gestalt und Wirklichkeit. Festgabe f. Ferdinand Weinhandl. Berlin 1967, S. 375 bis 395. – *Ders.:* Bemerkungen zur Struktur des Kosmos u. der Materie bei P. In: Medizingeschichte in unserer Zeit. Festgabe zum 65. Geburtstag von E. Heischkel-Artelt und W. Artelt. Stuttgart 1971, S. 121–144. – *Ders.:* Die Paracelsische Kosmologie u. Materietheorie in ihrer wissenschaftsgeschichtlichen Stellung u. Eigenart. In: Medizinhistorisches Journal 6 (1971), S. 5–35. – Vgl. auch die Gesamtdarstellungen (oben Kp. 3), bes. *Pagel, Sartorius Frhr. v. Waltershausen, Vogt*; vgl. auch bei Medizin (unten Kp. 5c), bes. *Pagel.*

b) Chemie, Botanik, Pharmazie
Walden, Paul: P. u. seine Bedeutung f. die Chemie. In: Zeitschr. f. angewandte Chemie 53 (1940), 111 f.; 54 (1941), 421–427. – *Sherlock*, T. P.: The Chemical Work of P. In: Ambix 3 (1948), 33–63. – *Hiller*, Johann: Die Mineralogie des P. In: Philosophia naturalis: Archiv f. Naturphilosophie 2 (1952/54), 293–331 u. 435–478. – *Müller*, Leopold: Die Welt der Gesteine bei P. In: Paracelsus. Werk u. Wirkung. Wien 1975. S. 149–174. – *Darmstaedter*,

Ernst: Arznei u. Alchemie. P.-Studien. = Studien zur Gesch. d. Medizin 20. Leipzig 1931. – *Strebel*, Josef: Zur Gesch. der Narkose. In: Nova Acta Paracelsica 4 (1947) 69 f. – *Schmaltz*, Dieter: Pflanzliche Arzneimittel bei Theophrastus v. Hohenheim, gen. P. Stuttgart 1941. – *Goldammer*, Kurt: Pflanze und pflanzliches Wachstum als Symbolkomplex bei Paracelsus. In: Die ganze Welt ein Apotheken. Wien 1969. S. 115–131. – Zu den Bezeichnungen für Chemikalien und Pflanzen vgl. auch *Weimann*, Die dt. med. Fachsprache des P. (unten Kp. 6).

c) Medizin

Pagel, Walter: Das medizinische Weltbild des P. Seine Zusammenhänge mit Neuplatonismus und Gnosis. Wiesbaden 1962. = Kosmosophie Bd 1. – *Blaser*, Robert: Das Bild des Arztes in den Basler Vorlesungen des P. = P.-Schriftenreihe der Stadt Villach 5. Klagenfurt 1956. – *Achelis*, Johann Daniel: Zum Krankheitsbegriff Theophrasts v. Hohenheim. In: Tymbos f. Wilhelm Ahlmann. Ein Gedenkbuch. Berlin 1951. S. 1–17. – *Achelis*, Johann Daniel: Das »Tartarus«-Werk Hohenheims. In: Die Kärntner Schriften des P. Klagenfurt 1955. S. 379–391 (vgl. oben Kp. 2, Textausgaben). – *Hellwig*, Walter: Das Erkennen der Syphilis durch P. Diss. Düsseldorf 1937. – *Hild*, Anton: Der Krebsbegriff bei P. Diss. Münster 1938. – *Diepgen*, Paul: Die Frauenheilkunde des P. In: Hippokrates 11 (1940), 108–113 u. 130 bis 137. – *Brunn*, Walter v.: P. u. seine Schwindsuchtslehre. = Praktische Tuberkulosebücherei 26. Leipzig 1941. – *Galdston*, Jago: The Psychiatry of P. In: Bulletin of the Hist. of Medicine 24 (1950), 205–218. – *Brunn*, Walter v.: P. u. d. Chirurgie. In: Zentralblatt f. Chirurgie 68 (1941), 1762 bis 1767. – *Schneidt*, Wilhelm: Die Augenheilkunde des P. Diss. München 1903. – *Strebel*, Josef: P. als Begründer der Lehre v. d. Gewerbekrankheiten u. der Gewerbehygiene. In: Nova Acta Paracelsica 5 (1948), 86–96. – *Strebel*, Josef: P. als Begründer d. allg. u. speziellen Balneologie. Dazu Anhang: Über Heilpflanzen u. Heilbäder in d. Balneologie Hohenheims. In: Nova Acta Paracelsica 5 (1948), 121–134 bzw. 135–138. Vgl. auch die Gesamtdarstellungen (oben Kp. 3), bes. *Pagel*, *Vogt*. – Zu Krankheitsnamen u. med. Fachausdrücken vgl. auch *Weimann*, Die dt. med. Fachsprache des P. (unten Kp. 6).

d) Theologie und Religionsphilosophie

Török, Stephan: Die Religionsphilosophie des P. und ihr zeitgeschichtlicher Hintergrund. Diss. Wien 1946 (maschschr.). – *Betschart*, Ildefons: Theophrastus P. in religiöser Schau. In: Natur u. Geist. Festschrift f. Fritz Medicus zum 70. Geburtstag. Zürich 1946. S. 56–66. – *Matthießen*, Wilhelm: Die Form des religiösen Verhaltens bei Theophrast v. Hohenheim, gen. P. Diss. Bonn 1917, gedruckt Düsseldorf 1917. – *Goldammer*, Kurt: P'sche Eschatologie. Zum Verständnis der Anthropologie u. Kosmologie Hohenheims. In: Nova Acta Paracelsica 5 (1948), 45–85; u. 6 (1952), 68 bis 102. – *Goldammer*, Kurt: Aus den Anfängen evangelischen Missionsdenkens. Kirche, Amt u. Mission bei P. In: Evang. Missionszeitschr. 4 (1943), 42–71. – *Bunners*, Michael: Die Abendmahlsschriften u. das medizinisch-naturphilosophische Werk des P. Diss. Berlin 1962 (maschschr.). – Vgl. auch die Gesamtdarstellungen (oben Kp. 3), bes. *Goldammer*.

e) Soziologie und Politik

Goldammer, Kurt: P. als Sozialkritiker u. Sozialrevolutionär. In: Paracelsus, Sozialethische u. sozialkritische Schriften, hrsg. Kurt Goldammer. Tübingen 1952. S. 1–102 (vgl. oben unter Textausgaben, Kp. 2). – *Goldammer*, Kurt: P. u. die soziale Frage. In: Carinthia (I) 146 (1956), 155–178. – *Goldammer*, Kurt: Friedensidee u. Toleranzgedanke bei P. u. den Spiritualisten. In: Archiv f. Reformationsgesch. 46 (1955), 20–46; u. 47 (1956), 180–211.

6. Sprache

Weimann, Karl-Heinz: P. u. d. deutsche Wortschatz. In: Deutsche Wortforschung in europäischen Bezügen. Festschrift f. Walther Mitzka zum 70. Geburtstag. Bd. 2. Gießen 1963. S. 359–408. – *Weimann*, Karl-Heinz: Die deutsche med. Fachsprache des P. Diss. Erlangen 1951 (maschschr.). – *Boehm-Bezing*, Gisela v.: Stil u. Syntax bei P. Wiesbaden 1966.

Gerecke, Theodor: P. im Urteil der vergangenen Jahrhunderte u. seine Würdigung in der Neuzeit. Diss. Freiburg (Br.) 1945. – *Eis*, Gerhard: Vor und nach P. Untersuchungen über Hohenheims Traditionsverbundenheit u. Nachrichten über seine Anhänger. Stuttgart 1965. = Medizin in Geschichte u. Kultur. Bd. 8. – *Debus*, Allen George: The English Paracelsians. London 1965. – *Artelt*, Walter: Wandlungen des P.-Bildes in der Medizingeschichte. In: Nova Acta Paracelsica 8 (1957), 33–38. – *Domandl*, Sepp: P. in Schule u. Erwachsenenbildung. In: Die ganze Welt ein Apotheken. Wien 1969. S. 63–90. – *Goldammer, Kurt*: P. in der deutschen Romantik (erscheint den Salzburger Beiträgen zur P.-Forschung, 1976/77). – *Weimann*, Karl-Heinz: P. in der Weltliteratur. In: Germanisch-romanische Monatsschrift N. F. 11 (1961), 241–274. – *Reclam*, Ernst Heinrich: Die Gestalt des P. in d. Dichtung. Studien zu Kolbenheyers Trilogie. Diss. Leipzig 1938.

Browning, Robert: Paracelsus. Drama. London 1835 (und öfter). – *Schnitzler*, Arthur: Paracelsus. Versspiel. Berlin 1899. – *Billinger*, Richard: Paracelsus. Ein Salzburger Festspiel. Wien 1943. – *Bresgen*, Cesar: Paracelsus. Oper. Textbuch v. Cesar Bresgen in Verbindung mit Ernst Gärtner. Konzerturaufführung Salzburg 1959. – *Mell*, Max: Der Garten des P. Dramatische Phantasie. Graz, Wien, Köln 1974. – *Pound*, Ezra: P. in excelsis. In: Personae (Gedichtsammlungen). London 1909. – *Kolbenheyer*, Erwin Guido: Paracelsus. Roman-Trilogie. Teil 1–3 (Die Kindheit des P.; Das Gestirn des P.; Das dritte Reich des P.). München 1917 bis 1926 (und öfter). – *Schuder*, Rosemarie: Paracelsus. Eine historisch-biographische Erzählung. Berlin 1955. – *Schuder*, Rosemarie: P. u. der Garten der Lüste. Roman. Berlin 1972.

INHALT

Geschichte der Philosophie in Text und Darstellung

»*Diese Unternehmung besticht durch einen gescheiten Ausweg aus dem Dilemma, in das uns die Einsicht führt, daß es einen unparteiischen Standpunkt vielleicht nur für den lieben Gott gibt. Sie verfügt über eine Konzeption, die die je verschiedene Eigenart der geistigen Standpunkte und Perspektiven schon durch die Kombination der literarischen Gattungen herausstellt. Die Brauchbarkeit für das philosophische Bildungswesen wird dadurch sehr gefördert. Besonders für die neu gestaltete Oberstufe des Gymnasiums, in der dem Fach Philosophie eine besondere Bedeutung zukommt, scheint die Mischung von Text und Darstellung geeignet.*
Der Philosophieunterricht, der sich dieses Angebot zunutze macht, stellt die geistespolitischen Kategorien bereit, die für das Verständnis der westlichen Staatstheorien im Fach Gemeinschaftskunde erforderlich sind.« Eckhard Nordhofen, F. A. Z.

Philipp Reclam jun. Stuttgart